SpurenLesen

Religionsbuch für die 7./8. Klasse

Calwer Verlag
Stuttgart

Ernst Klett Schulbuchverlag Leipzig
Leipzig   Stuttgart   Düsseldorf

SpurenLesen
Religionsbuch für die 7./8. Klasse

von
Gerhard Büttner, Irene Berkenbusch, Veit-Jakobus Dieterich,
Hans-Jürgen Herrmann und Eckhart Marggraf

unter Mitarbeit von
Karin Böhler-Ehmann, Walter Dietz, Dorothea Forster, Ruth Haueisen-Günther,
Elke Kuhn, Ingrid Ziegelhofer

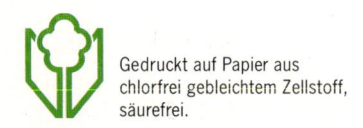

Gedruckt auf Papier aus chlorfrei gebleichtem Zellstoff, säurefrei.

1. Auflage   A1 7 6 5 4 | 2005 2004 2003

Alle Drucke dieser Auflage können im Unterricht nebeneinander benutzt werden,
sie sind untereinander unverändert. Die letzte Zahl bezeichnet das Jahr dieses Druckes.
© Calwer Verlag, Stuttgart, 1998.
© Ernst Klett Schulbuchverlag Leipzig GmbH, Leipzig 1999.
http: //www.klett-verlag.de
Alle Rechte vorbehalten.

Redaktion: Dr. Ilas Körner-Wellershaus, Regina Stenke

Reproduktion: Maurer, Tübingen
Umschlagentwurf: Patrizia Zannini, Stuttgart
Satz: DTP-Verlag
Druck: SCHNITZER DRUCK GmbH, 71404 Korb
ISBN 3-7668-3483-5 (Calwer)
ISBN 3-12-174320-1 (Klett)

Inhaltsverzeichnis

Thema Bunte Spuren   Seite   4–5

Arm und reich   Seite   6–21

Ich will mein Herz dir schenken   Seite   22–30

Träume und Sehn-Süchte   Seite   31–39

Miteinander streiten   Seite   40–48

Das Gewissen – die Stimme des Herzens   Seite   49–59

Ich darf anders werden – Mit Jona unterwegs   Seite   60–67

Propheten   Seite   68–79

Maria aus Magdala   Seite   80–88

Zwischen Jerusalem und Rom – Juden, Christen und Heiden
im Römischen Reich   Seite   89–101

Schätze finden – Franziskus und Petrus Waldes   Seite   102–114

Der Weg in eine neue Zeit – die Reformation   Seite   115–125

Le Chaim – jüdisches Leben   Seite   126–137

… und Muhammad ist sein Gesandter   Seite   138–154

Über Grenzen schauen – Wunder und Okkultismus   Seite   155–171

Lieber Gott, wenn es Dich gibt …   Seite   172–179

Miteinander leben   Seite   180–190

Abbildungs- und Quellennachweise   Seite   191

BUNTE SPUREN

Bunte Spuren –
eine neben der anderen.
Ganz geordnet –
eine neben der anderen.
Aber dann,
weichen sie
von vorgegebenen Bahnen ab.
Eine neigt sich nach links,
eine andere kommt ihr entgegen.
Eine neigt sich nach rechts,
eine andere weicht ihr aus.
Immer wilder wird es:
sie brechen aus,
suchen ihre eigenen Wege,
stoßen auf andere,
verbinden sich,
weisen sich ab,
suchen weiter.
Wohin?

Es kommt die Zeit,
in der sich alles ändert.
Ich nach links,
Du nach rechts,
– oder ist es umgekehrt?
Eben war alles noch eindeutig,
hatte alles seine Ordnung.
Plötzlich geht es durcheinander.
Wo bin ich?
Wo bist du?

Früher waren wir
uns alle gleich nah,
gleich fern.
Jetzt bin ich
mit manchen ganz eng zusammen,
von manchen weit entfernt.

Wir begegnen uns wieder,
in dem Muster,
das wir selbst weben.

Mein eigener Weg!
Werde ich ihn finden?
Muss ich ihn allein gehen?
Mit wem wird sich meine Spur kreuzen?
Welches Ziel habe ich?
Der Weg geht nach oben.
Aber ist oben oben?
Ist unten unten?
Wer wird am Ende
des Weges stehen?

Ich schließe die Augen
und folge den Spuren …

Anton Stankowski, 1984

ARM UND REICH

Kyu-Chul Ahn, o. J.

Der Weg nach oben

Mein erstes Softwareprogramm habe ich mit 13 Jahren geschrieben. Es diente dazu, Tic-Tac-Toe* zu spielen. Der Computer, den ich benutzte, war riesig und sperrig und langsam und absolut faszinierend.
Eine Horde Teenager auf einen Computer loszulassen war die Idee des Müttervereins an der Lakeside School, die ich besuchte. Die Mütter beschlossen, den Ertrag eines Wohltätigkeitsbasars dafür zu verwenden, ein Terminal einzurichten und Rechnerzeit für die Schüler zu kaufen. In den späten sechziger Jahren in Seattle war es eine ziemlich ausgefallene Idee Schüler einen Computer benutzen zu lassen, eine Idee, für die ich ihnen ewig dankbar sein werde.

Computer sind großartig, denn wenn man mit ihnen arbeitet, erhält man sofort Ergebnisse, die einem zeigen, ob das Programm funktioniert. Es gibt viele Dinge, bei denen man eine solche Rückmeldung nicht erhält. Deshalb begann mich die Software zu faszinieren. Bei einfachen Programmen ist die Rückmeldung besonders eindeutig. Noch heute begeistert mich der Gedanke, dass ein korrekt geschriebenes Programm immer und zu jeder Zeit hundertprozentig funktionieren wird und genau das tut, was ich ihm gesagt habe.

Aber nach fünf Wochen war unser BASIC-Programm fertig – und die erste Firma, die Software für Mikrocomputer schrieb, war geboren. Später nannten wir sie ‚Microsoft'.

Wir wussten, dass es uns einiges abverlangen würde eine neue Firma zu gründen. Uns war aber auch klar, dass wir es jetzt tun mussten – andernfalls wäre die Chance in der Mikrocomputer-Software mitzumischen, für immer dahin gewesen. Im Frühjahr 1975 gab Paul seine Stelle als Programmierer auf und ich ließ mich von Harvard beurlauben.

Ich sprach über die Sache mit meinen Eltern, die sich beide in Geschäftsdingen ziemlich gut auskennen. Sie sahen, wie sehr mir daran lag, eine Softwarefirma zu gründen und sie bestärkten mich. Mein Plan war mich fürs Erste beurlauben zu lassen, die Firma zum Laufen zu bringen und anschließend mein Studium zu beenden. Eine bewusste Entscheidung, auf einen Abschluss zu verzichten, habe ich nie getroffen. Eigentlich bin ich also nur für eine nun schon ziemlich lange Zeit beurlaubt. Die Uni hat mir, anders als einigen anderen Studenten, wirklich gefallen. Es machte mir Spaß unter so vielen intelligenten jungen Leuten zu sein und mit ihnen zu diskutieren. Ich hatte jedoch das Gefühl, dass sich die Gelegenheit, eine Softwarefirma zu gründen, nicht noch einmal ergeben würde. Und so stürzte ich mich mit 19 Jahren ins Geschäftsleben.

Paul und ich haben alles von Anfang an selbst finanziert. Jeder hatte ein bisschen Geld auf der hohen Kante: Paul hatte bei Honeywell ein gutes Gehalt bezogen, das Geld, das ich hatte, stammte dagegen zum Teil aus nächtlichen Pokerspielen im Studentenheim. Zum Glück erforderte die Finanzierung unserer Firma keine großen Mittel.

Ich werde oft gebeten, den Erfolg von Microsoft zu erklären. Was steckt für ein Geheimnis dahinter, dass aus einem Zwei-Mann-Unternehmen, das praktisch mit nichts angefangen hat, eine Firma mit 17000 Angestellten und einem Jahresumsatz von über sechs Milliarden Dollar wurde? Das ist natürlich nicht einfach zu beantworten. Wir haben Glück gehabt, aber das Wichtigste war wohl unsere ursprüngliche Vision.

Bill Gates

* = Schiffeversenken

Auf der Strasse zu Hause

„Mit Tieren komme ich besser aus als mit Menschen"

„Meine Mutter war den ganzen Tag arbeiten, sie ging morgens früh aus dem Haus und kam spätabends erst wieder. Da musste ich mir selbst Essen kochen. Meistens habe ich mir eine Dose aufgemacht."

Als uneheliches Kind einer allein stehenden Frau geboren, lernte Lars schon sehr früh für sich alleine zu sorgen. Mit acht Jahren kam er ins Heim. Das Jugendamt trat in Erscheinung, nachdem er nicht mehr regelmäßig zur Schule gegangen war.

„Am Anfang wurde ich noch von der Polizei abgeholt und in die Schule gebracht. Als das Jugendamt unangemeldet zu uns nach Hause kam, war meine Mutter auf der Arbeit und ich betrunken."

Lars konnte die lange Abwesenheit seiner Mutter nicht verkraften. Um sich abzulenken, sah er sich Videofilme an, rauchte die Zigaretten seiner Mutter und begann Alkohol zu trinken. Nachbarn beschwerten sich bei Lars' Mutter über dessen aufmüpfiges Verhalten; die Zensuren in der Schule wurden immer schlechter. Nach wiederholter Aufforderung des Jugendamtes, sich mehr um das Wohlergehen ihres Kindes zu kümmern, wurde er der Mutter entzogen und in ein Heim gebracht. Mit zwölf Jahren lief er zum ersten Mal aus dem Heim weg, um seine Mutter zu suchen.

„Ich wusste damals gar nicht, wo sie wohnte. Sie hatte mich schon lange nicht mehr besucht. Ich wollte einfach wissen, was mit ihr los ist." Bei den Nachbarn erkundigte er sich nach ihrem neuen Wohnsitz. „Die waren sehr freundlich zu mir, luden mich zum Essen ein. Aber das Essen stand noch nicht auf dem Tisch, da fuhr auch schon ein Polizeiwagen vor!"

Vier Wochen später flüchtete er erneut aus dem Heim. Diesmal mit mehr Erfolg. Bei seiner Oma erfuhr er die neue Adresse seiner Mutter: „Ich habe ihr einfach gesagt, dass ich Urlaub vom Heim bekommen hätte, um sie zu besuchen." In München fand er sie schließlich. Sie arbeitete als Bardame. „Nachts war sie weg und tagsüber schlief sie. Wir haben kaum miteinander gesprochen. Sie gab mir Zigaretten, Geld und Alkohol. Damit war ich schon zufrieden."

Doch nach drei Wochen lief er auch von seiner Mutter weg. „Manchmal brachte sie nachts Männer mit nach Hause, ich musste dann immer im Flur auf einer Matratze schlafen."

Lars D. ist jetzt vierzehn Jahre alt. Wir begegnen uns auf dem Hamburger Hauptbahnhof. Er fragt mich, ob ich ihm zwei Mark geben kann. Ich lade ihn zum Essen ein. Als ich ihn frage, wo er wohnt, fängt er an zu stottern. Anfangs merke ich gar nicht, dass Lars ein Straßenkind ist. Sein Äußeres wirkt sehr gepflegt.

Als wir uns am folgenden Tag wieder begegnen, fragt er mich: „Gehen wir essen?" Es kommt mir suspekt vor, dass dieser Junge sich immer noch im Hauptbahnhof herumtreibt, denn am Tag zuvor hatte er mir erklärt, dass er unbedingt nach Hause müsse, um Schularbeiten zu machen.

Ich fange an, ihm Fragen zu stellen, die ihn nervös machen. Mir fällt auf, dass er zusammenzuckt, wenn ein Polizist oder ein Schwarzer Sheriff an uns vorbeigeht. „Hast du etwas ausgefressen?", will ich wissen. „Nein, nein, ich habe nichts auf dem Kerbholz. Aber die dürfen mich nicht erwischen, ich bin nämlich vor acht Tagen wieder aus dem Heim ausgerissen. Diesmal kriegen die mich aber nicht."

Lars will nicht mehr ins Heim zurück. Er sagt, dass er lieber auf der Straße lebt, als in diesen ‚Scheißladen' zurückzugehen. Er lebt vom Betteln. Ab und zu traut er sich auch, in einer Bahnhofsmission etwas zu essen. Sozialeinrichtungen, Übernachtungsherbergen und Polizisten geht er aus dem Weg.

Ugo Rondinone, 1995

„Die wollen mich ja doch alle wieder ins Heim zurückbringen."

Nachts schläft er auf Spielplätzen, in abbruchreifen Häusern oder in Papiermüllcontainern. Abends verspielt er sein Geld in Spielautomaten. „Ich will auf der Straße bleiben, bis ich achtzehn bin. Falls die mich doch wieder ins Heim stecken, haue ich denen immer wieder ab. Ich hab die Schnauze voll von diesem Heimterror!"

Er gibt sich selbst keine Chance, von der Straße herunterzukommen. Ins Heim will er nicht und die Möglichkeit, bei Pflegeeltern ein neues Zuhause zu finden, schließt er aus. „Wer will mich denn noch nehmen? Mit vierzehn bekommt man doch keine Pflegeeltern mehr. Und was soll ich denn mit denen?"

Mittlerweile kennt er sich gut aus, er weiß, wo er etwas zu essen bekommt, kennt Pfarrer, die ihm ein paar Mark zustecken und wenn er kein Bett bei Freunden, die er auf der Straße kennen lernt, bekommt, schläft er im Freien. „Platte machen" heißt das im Jargon.

„Der erste Tag auf der Straße war furchtbar. Bis ich kapiert habe, wie man an Geld, Essen und Kleider kommt. Die Kaufhäuser sind doch voll damit. Wenn ich eine neue Jacke brauche, hole ich mir einfach eine. Mich erwischt keiner. Ich bin schneller als die!"

Rüdiger Heins

Was Menschen zum Leben brauchen ...

Und Jesus erzählte die Geschichte von einem Gutsherrn. „Ja", sagte er, „da war ein Gutsherr, der verließ früh am Morgen sein Haus, um Arbeiter für seinen Weinberg anzuwerben. Bald fand er einige, die bereit waren. Und nachdem er mit ihnen einen Denar als Tageslohn vereinbart hatte, wie es üblich war, schickte er sie zur Arbeit in seinen Weinberg. Um die dritte Stunde, das ist soviel wie 9 Uhr am Morgen, traf er auf dem Markt andere, die noch keine Arbeit gefunden hatten. ‚Geht auch ihr in meinen Weinberg', sagte er ihnen, ‚ich werde euch geben, was recht ist.' Und sie gingen an die Arbeit. Um die sechste und neunte Stunde, also um 12 und um 3 Uhr, ging er wieder hinaus und wieder schickte er die Arbeitsuchenden in seinen Weinberg. Am späten Nachmittag, also um 5 Uhr, zur elften Stunde, begegnete er weiteren Männern, die am Marktplatz standen: ‚Was steht ihr untätig hier herum?', fragte er. ‚Niemand hat uns Arbeit gegeben', sagten sie. Da hieß er auch sie in seinen Weinberg gehen.

Als nun der Abend kam, trug der Gutsherr seinem Verwalter auf: ‚Rufe jetzt die Leute zusammen, zahle ihnen den Lohn aus. Und bedenke wohl: Einige waren den ganzen Tag über fleißig, andere haben erst am Nachmittag angefangen, und ein paar haben nur eine einzige Stunde gearbeitet. Rechne das genau aus und gib jedem den Lohn, der ihm zusteht, je nach der Leistung, die er erbracht hat!'

Da erhielten die, die am Morgen schon im Weinberg angefangen hatten, den vereinbarten Denar, die anderen entsprechend weniger. Der Lohn wurde ganz gerecht ausbezahlt und so waren alle zufrieden. Freilich sprang für die, die nur eine einzige Stunde beschäftigt waren, so wenig heraus, dass sie davon nicht einmal ein Brot kaufen konnten, um ihrer Familie daheim ein karges Essen zu bereiten.

Da sagte einer der Arbeiter, die für die Arbeit eines ganzen Tages mit einem Denar entlohnt worden waren: ‚Jetzt soll sich zeigen, was wir Arbeiter unter Solidarität verstehen und dass unserer Meinung nach nicht die Arbeitsleistung, sondern der Mensch gilt. Ich schlage deshalb vor: Wir legen alle zusammen. Und dann soll jeder von uns den gleichen Anteil erhalten!' Das fanden alle richtig. Und sie teilten, was sie hatten. Und jeder erhielt genau den gleichen Betrag. Das sprach sich alsbald herum in der kleinen Stadt. Natürlich gab es böses Blut und manche sagten: ‚So geht das nicht! Wo kommen wir denn hin, wenn die Letzten den Ersten gleichgestellt werden? Wenn die Leistung nichts mehr gilt?' Und da sprachen die Arbeiter: ‚Wir wollen, dass alle gleich viel haben, die Letzten genauso viel wie die Ersten. Oder dürfen wir mit unserem Geld nicht machen, was wir wollen? Seid ihr neidisch, weil wir gut sind zueinander und Solidarität üben?'"

Und Jesus schloss seine Erzählung mit den Worten: „Seht ihr, so, genau so wird es im Himmel Gottes sein: Da sind die Letzten zusammen mit den Ersten. Und alle werden wie Brüder sein und Söhne eines einzigen Vaters!"

Lothar Zenetti

Duane Hanson, 1991

Franziskaner-Suppenküche

Der Duft von Kohlrabi-Eintopf zieht durchs Haus. In der Küche köcheln schon am frühen Vormittag einige hundert Liter davon in zwei riesigen Töpfen. Reichen muss das Essen für mindestens 500 Menschen, Obdachlose und Arme, die um 13 Uhr in der Schlange stehen und auf einen Teller Essen warten. Menschen ohne Arbeit, ohne Wohnung und meistens ohne einen Pfennig Geld in der Tasche. Aus allen Teilen der Bundeshauptstadt Berlin kommen sie Tag für Tag zur Suppenküche der Franziskaner. Viele sind bereits morgens um acht auf dem Gelände. „Die Leute kommen entweder von der ‚Platte' oder aus ihren Notquartieren, wo sie nicht mal ein Frühstück erhalten", sagt Schwester Monika, Franziskanerin und Gründerin der größten Suppenküche in Berlin. Sie und ihre Helferinnen und Helfer bieten den Armen der Stadt allerdings nicht nur warme Suppe an. Für die meisten, die täglich ins Franziskanerkloster im Stadtteil Pankow kommen, ist die Suppenküche im ehemaligen Ostberlin eine Oase der Hoffnung, ein Ort, an dem sie sich ihrer Armut nicht zu schämen brauchen, wo sie als Menschen angenommen und akzeptiert werden, so wie sie sind.

Etwa 40.000 Menschen – so schätzen Sozialarbeiter der Diakonie und Caritas – haben in Berlin keine Wohnung. Mindestens 10.000 von ihnen leben ständig auf der Straße. Konkret: Sie schlafen im Sommer auf der Parkbank, im Winter in öffentlichen Toiletten, in Hauseingängen oder in den abgestellten Waggons der S-Bahn an den Endhaltestellen. Während Berliner Politiker Milliarden ausgeben, um die Hauptstadt auf Hochglanz zu polieren, können immer mehr Menschen ihre Wohnungen nicht mehr bezahlen, verlieren ihre Jobs und landen eines Tages auf der Straße oder in einer der zahlreichen sogenannten Läusepensionen, den Billigquartieren, die der Senat den Armen anbietet.

Aus der Stadt sollen sie möglichst verschwinden. Immer wieder erzählen Obdachlose in der Suppenküche, wie sie in Polizeiautos verladen und im Grunewald ausgesetzt wurden. Schwester Monika und ihre Helferinnen und Helfer sind empört über diesen ‚Vertreibungsprozess' der Armen.

Die Suppenküche lebt allein von Spenden und von dem, was sonst auf der Müllhalde landen würde, was übrig bleibt nach großen Banketts zum Beispiel, in Hotelküchen und Werkskantinen, in Bäckerläden und was Menschen, die im Überfluss leben, nicht mehr brauchen. „Wir leben weitgehend von den Abfällen dieser Stadt", sagt Schwester Monika.

Erhard, 39, ist vor kurzem auf der Straße gelandet. Er stammt aus Ostberlin und hat Mietschulden. „Früher hab' ich 120 Mark zahlen müssen, heute wollen die fast 600 Mark", schimpft er. Wolfgang, 52, erzählt eine ähnliche Geschichte. „Der Gerichtsvollzieher hat mich auf die Straße gesetzt." Jetzt hat er keine Bleibe.

Nur die wenigsten sind wohl in der Lage, Wut und Protest öffentlich zu machen. Doch immer steht die Frage nach einer Wohnung und einer Arbeitsstelle im Raum. „Kann ich nicht irgendetwas tun?", so wird Bruder Peter oft gefragt. Meistens muss er nein sagen. Aber manchmal ist es schon viel wert, wenn er den Menschen, die ‚ganz unten' sind, überhaupt zuhört, mit ihnen zusammen einen Kaffee trinkt, ihnen Mut macht nicht aufzugeben, ihre Papiere in Ordnung bringt oder einen Schlafplatz für die nächste Nacht besorgt.

publik-forum

Ernst Erró, 1964

Duane Hanson, 1969/70

13

Mixe, o. J.

RIGOBERTA MENCHÚ ERZÄHLT AUS IHREM LEBEN

Aufwachsen auf dem Lande
Ich heiße Rigoberta Menchú. Ich bin 23 Jahre alt und meine Lebensgeschichte soll lebendiges Zeugnis ablegen vom Schicksal meines Volkes. Durch meine Geschichte will ich versuchen, das Leben aller armen Menschen in Guatemala zu beschreiben.
Ich gehöre zum Stamm der Quiché und lebe nach den Sitten und Bräuchen der Quiché Indios. Meine Heimat ist wie ein Paradies, in der ganzen Schönheit der Natur dieser Gegend, in der es keine Straßen und Autos gibt. Man kommt nur zu Fuß dorthin.
Als ich geboren wurde, hatte meine Mutter schon fünf Kinder, glaube ich. Ja, sie hatte schon fünf und ich war das sechste in unserer Familie. Besondere Kleidung für Kinder kennen wir nicht. Die Kinder werden eingewickelt in das, was so da ist. Im Voraus gekauft wird für das Kind nichts.

Wenn das Kind vierzig Tage alt ist, findet die Tauffeier statt, zu der die wichtigsten Leute eingeladen werden. Dann erzählt man dem kleinen Kind vom Mais, von den Bohnen und von allen wichtigen Pflanzen. Man erzählt ihm, dass es vom Mais leben wird und natürlich, dass es aus Mais gemacht ist, da seine Mutter sich ja von Mais ernährte, während es sich in ihr heranbildete.

Meine Eltern waren vor wenigen Jahren ins Bergland gezogen und hatten ein Stück Land gerodet. Bis zur ersten guten Ernte dauerte es viele Jahre und die Ernteerträge waren immer rasch aufgebraucht. Meine Eltern mussten deshalb acht Monate im Jahr auf Lastwagen zur Küste hinunterfahren, um auf den Fincas[1] zu arbeiten. Wir gingen schon als Kinder mit auf die Fincas. Mit acht Jahren verdiente ich mir bereits mein erstes Geld. Ich hatte täglich 35 Pfund Kaffee zu pflücken und bekam dafür zwanzig Centavos[2]. Wenn ich die Menge nicht schaffte, musste ich am nächsten Tag für dieselben zwanzig Centavos weiterarbeiten.

Wenn man einmal sein Tagessoll nicht schaffte, blieb man unweigerlich mit seiner Arbeit zurück, immer mehr zurück, bis man zum Schluss vielleicht zwei ganze Tage unentgeltlich nacharbeiten musste, um das Gesamtsoll zu erfüllen. Meine Brüder hatten ihre Arbeit so gegen sieben oder acht Uhr abends beendet und boten sich an, mir zu helfen. Ich sagte, dass ich selbst damit fertig werden müsse, denn wie sollte ich es sonst jemals lernen. An manchen Tagen schaffte ich kaum 28 Pfund. Besonders wenn es so heiß war. Da bekam ich Kopfschmerzen und war oft so erschöpft, dass ich mich unter einen Kaffeestrauch legte und schlief und da fanden mich dann meine Brüder.

Ich war acht Jahre alt, als mein Bruder Nicolás starb und ich habe ihn sterben sehen. Er war der Jüngste von uns und gerade zwei Jahre alt geworden. Er weinte und weinte und weinte und meine Mutter wusste nicht, was sie tun sollte. Er hatte einen ganz geschwollenen Bauch, weil er so unterernährt war. Meine Mutter konnte sich auch nicht immer um ihn kümmern, weil sie sonst ihre Arbeit verloren hätte.

Als ich zehn Jahre alt wurde, wurde ich in den Kreis der Erwachsenen aufgenommen. Meine Eltern riefen mich zu sich und erklärten mir das Leben der Erwachsenen. Viel brauchte sie mir jedoch nicht zu erklären, da es dasselbe Leben war, das ich auch schon seit einiger Zeit führte. Ich versprach meinen Eltern und meinen Geschwistern, jetzt auch für die Gemeinschaft zu arbeiten. So kam die Zeit, in der ich meinem Vater bei der Gemeindearbeit half. Er sprach auf Versammlungen, organisierte viele Dinge im Dorf und betete manchmal auch im Hause anderer Familien. Ich lernte langsam die Arbeit einer Katechetin[3] kennen und begann im Dorf und auf den Fincas mit Kindern zu arbeiten.

[1] = Großes Landgut, das einer reichen Familie oder einer Gesellschaft gehört.
[2] = Währung in Guatemala, 1 Centavo entspricht ca. 5 Pfennigen (Stand 1995).
[3] = ein Gemeindemitglied, das den Priester bei der Glaubensunterweisung unterstützt.

Rigoberta Menchú

Fernando Botero, 1967

Ein besseres Leben in der großen Stadt?
Ich sah nicht mehr ein, wofür wir uns immer so abarbeiten mussten und entschloss mich, in die Hauptstadt zu gehen. Ich war damals nicht ganz dreizehn Jahre alt.

Wir kamen zur Hauptstadt und ich weiß noch, dass ich das alte und schmutzige Zeug von der Arbeit auf der Finca anhatte. Außer einer dünnen Baumwolldecke hatte ich sonst nichts mitgenommen. Schuhe hatte ich keine. Ich wusste gar nicht, wie sich Schuhe an Füßen anfühlten.
Die Señora des Großgrundbesitzers war zu Hause und es gab noch ein anderes Dienstmädchen, das für die Küche zuständig war. Sie war auch eine Indígena[1], trug aber Ladi-

no-Kleidung² und sprach Spanisch. Ich stand da und wusste nicht, was ich sagen sollte. Ich sprach kein Spanisch, aber ein paar Worte verstand ich, weil uns die Aufseher auf den Fincas immer auf Spanisch angebrüllt hatten. Die Señora rief das Mädchen und die sagte: „Komm mit!" Sie zeigte mir das Zimmer. Es war ein Raum, in dem Kisten und Plastiksäcke aufgestapelt waren und Abfall herumlag. Es gab ein kleines Bett, das Mädchen legte eine Bastmatte darauf und gab mir eine Jacke. Ich hatte nämlich nichts, womit ich mich hätte zudecken können.

Später rief mich die Señora. Ich bekam ein paar Frijoles³ und alte Tortillas zu essen. Sie hatten auch einen Hund im Haus; einen dicken, aber schönen, weißen Hund. Als das Mädchen ihm sein Futter hinstellte, sah ich Fleischstücke und Reis ... was die Herrschaften so aßen. Und mir gaben sie alte Frijoles und zähe Tortillas. Das hat mir sehr weh getan, dass ich nicht einmal so gutes Essen verdiente wie der Hund. Ich neidete dem Hund sein Essen nicht, weil ich von zu Hause aus ja gewohnt war, nur Tortillas mit Chili oder Salz zu essen und Wasser zu trinken. Aber ich fühlte mich sehr minderwertig, weniger wert als das Tier im Haus.

Die Söhne unserer Herrschaften behandelten uns auch schlecht. Der Älteste war 22, der Zweite 15 und der Jüngste 12. Großbürgerkinder, die nicht einmal ein Taschentuch aufheben konnten. Sie warfen Geschirr nach uns und brüllten hinter uns her und quälten uns, wann immer sie konnten. Wenn die Señora auftauchte – der Teufel mag wissen, wo sie sich den halben Tag lang herumtrieb –, gab es eine weitere Schimpfkanonade: „Hier noch Staub auf dem Bett, dort noch Staub, die Bettwäsche nicht genug gelüftet, die Blumen, die Bücher ..." Sie schimpfte den ganzen Tag lang. Entweder trieb sie uns zur Arbeit an oder lag im Bett. ...

Ich glaube, ich arbeitete vier Monate ohne Bezahlung. Danach gab mir die Señora 20 Quetzales⁴ und ich war glücklich und verwahrte sie für meine Eltern. Die Señora sagte mir aber: „Du musst dir dafür Schuhe kaufen; ich kann es nicht mit ansehen, dass man in meinem Haus ohne Schuhe herumläuft." Ich sagte aber: „Nein, wenn sie will, dass ich Schuhe trage, soll sie mir welche kaufen." Nach acht Monaten kam Weihnachten und es gab viel Arbeit. Am 23. Dezember kam der Señor und gab uns ein paar Ohrringe für fünf Centavos. Das war unser Weihnachtsgeschenk: ein paar Kinderohrringe. Am zweiten Weihnachtsfeiertag blieben die Señores den ganzen Tag im Bett. Wer sollte das Geschirr wegräumen? Wer sollte das Haus putzen? An wem würde die ganze Arbeit hängen bleiben? An mir. Wenn ich es nicht tat, würde mich die Alte womöglich hinauswerfen. Ich kannte keinen Ungehorsam und meine Herrschaften nutzten das aus. All meine Unwissenheit und Bescheidenheit nutzten sie aus. Ich stand also früh auf, sammelte das Geschirr ein und räumte den Abfall weg, den sie überall auf den Boden geworfen hatten. Das dauerte fast den ganzen Vormittag.

Ende Dezember gab mir die Señora den Lohn für zwei Monate. Vierzig Quetzales und der kleine Rest von dem, was sie mir früher gegeben hatte. Damit konnte ich gut zu meinen Eltern zurückkehren. Es war nicht sehr viel, aber es würde ihnen weiterhelfen.

---

¹ = (sprich: Indíchena): In den meisten lateinamerikanischen Ländern benutzter, nicht abwertend gebrauchter Sammelbegriff zur Bezeichnung der einheimischen Urbevölkerung.
² = Ladino/Ladina: Mischlinge aus Indígena und Weißen; auch eine Indígena, die ausschließlich spanisch spricht und die traditionelle Kleidung ablegt.
³ = (sprich: Frichóles) schwarze Bohnen
⁴ = 1 Quetzal = 100 Centavos = ca. 25 Pfennige

Adolfo Perez Esquivel, o. J.

Der gefährliche Kampf für Menschenrechte
Wir wohnten in unserem kleinen Dorf und bauten Mais, Bohnen, Kartoffeln und alle Sorten von Gemüse an. Dann kamen die Garcias, die Großgrundbesitzer, und fingen an, unser Land zu vermessen. Sie kamen mit Inspektoren, Ingenieuren und ich weiß nicht mehr was für Leuten; Leute, die ihren Worten nach von der Regierung kamen. Als das Land nach vielen Jahren die ersten Ernten abwarf und unsere Felder immer größer wurden, kamen weitere Großgrundbesitzer.

Das erste Mal vertrieben sie uns 1967. Zuerst holten sie die Leute aus den Häusern. Alle. Sie fragten nicht um Erlaubnis, eintreten zu dürfen. Dann gingen sie wieder hinein und holten die Sachen der Indios heraus. Ich weiß noch, dass meine Mutter damals ihre silbernen Halsketten im Haus aufbewahrte, Erinnerungsstücke ihrer Großeltern. Nichts davon tauchte je wieder auf. Sie stahlen alles. Dann unser Geschirr, unser irdenes Geschirr. Sie warfen es hinaus und es flog durch die Luft und – ach Gott – als es zu Boden fiel, zerbarst alles. Alle unsere Töpfe, Teller und Krüge. Das war der Hass der Großgrundbesitzer auf die Campesinos[1], weil wir unser Land nicht hergeben wollten. In diesen Tagen verhärtete sich mein Hass auf diese Leute. Wir verbrachten vierzig Tage unter freiem Himmel, ohne in unsere Häuser zurückkehren zu können. Wir hielten Versammlungen ab und sagten: „Wenn so etwas noch einmal passiert, verhungern wir." Mein Vater sagte: „Wenn sie uns töten wollen, sollen sie es eben tun. Wir gehen wieder in unsere Häuser zurück." Für die Leute war mein Vater wie ihr eigener Vater und so gingen wir alle zurück ins Dorf. Die Leute aus dem Nachbardorf brachten uns Töpfe und Teller, so dass wir wieder kochen konnten.

Ein oder zwei Monate ließen sie uns in Frieden. Dann kam wieder ein Überfall. Sie zerschlugen alles, was uns die Leute aus dem Nachbardorf geschenkt hatten. Sie töteten diesmal auch unsere Tiere. Viele unserer Hunde. Für uns Indios ist das dasselbe, als ob Menschen getötet worden wären. Wir waren tief verletzt, weil sie unsere Tiere getötet hatten. Mein Großvater weinte bitterlich und sagte, früher hätte das Land nicht nur einem allein gehört. Das Land gehörte allen. Es gab genügend Land für alle. Mein Großvater sagte: „Wenn diese Menschen fähig sind unsere Tiere zu töten, dann müssen wir eben diese Menschen töten." Da entschloss sich mein Vater etwas zu unternehmen und er verließ unser Dorf. ... Da mein Vater sich mit den Gewerkschaften zusammengetan hatte und die Gewerkschaften nun auf unserer Seite waren, hatten die Großgrundbesitzer dem zuständigen Richter Geld gegeben, und mein Vater wurde verhaftet und angeklagt die Freiheit des Landes missbraucht zu haben. Sie sagten, er gefährde die Freiheit und die Ruhe der Guatemalteken.

Nach einem Jahr wurde er dann entlassen und wir waren sehr froh. Nach seiner Entlassung fuhr er drei Monate lang wieder im Land herum. Dann entführten sie ihn und wir dachten: Jetzt ist es aus. Die Leibwächter der Großgrundbesitzer hatten meinen Vater verschleppt. Er war auf dem Weg in die Stadt, als sie ihn ganz in der Nähe des Dorfes überfielen. Mein Bruder alarmierte sofort das ganze Dorf. Wir umstellten das ganze Dorf. Es war das erste Mal, dass wir uns mit den Waffen unseres Volkes bewaffneten. Die Leute hatten Macheten, Knüppel, Hacken und Steine, um sich den Leibwächtern entgegenzustellen. Sie waren so wütend, dass sie fähig gewesen wären, einen totzuschlagen. Am Nachmittag fanden wir meinen Vater allein und schlimm zugerichtet. Wir konnten den Anblick kaum ertragen. Mein Vater sah aus, als ob er jeden Augenblick sterben würde. Die Täter fanden wir nicht. Sechs Monate war mein Vater in einem Krankenhaus. ... Dann kam er wieder nach Hause zurück. Später verließ er unser Dorf ganz und arbeitete in anderen Regionen mit den Campesinos. Im November 1979 traf ich durch Zufall meinen Vater wieder. Bei einer zweitägigen Versammlung trafen sich Leute aus verschiedenen Regionen. Mein Vater sagte, nun sei er auch bereit, mit der Waffe für das Recht der Campesinos zu kämpfen. Er sagte: „Ich bin Christ und die Pflicht eines Christen ist es, das Unrecht zu bekämpfen, das man unserem Volk antut. Es ist nicht gerecht, dass unser Volk für ein paar wenige verblutet, die die Macht haben." Sie machten den Marsch auf die Hauptstadt. Als Beweis für die herrschende Unterdrückung hatten sie viele Kinder dabei, die ihre Eltern verloren hatten. Sie besetzten mehrere Radiostationen, um unsere Probleme an die Öffentlichkeit zu bringen. Sie wollten auch die internationale Öffentlichkeit aufmerksam machen, indem sie eine Botschaft besetzten und die Botschafter zu unserem Sprachrohr machten ... In der Botschaft waren wichtige Leute, sogar welche von der Regierung. Sie alle starben, sie wurden alle mit den Campesinos zusammen verbrannt. Man fand nur noch ihre Asche. Es war ein furchtbarer Schlag ... Mir ging es nicht so sehr um den Tod meines Vaters. Nach dem erbärmlichen Leben, das er wie wir alle geführt hatte, war sein Tod keine schreckliche Vorstellung für mich. Er war sich darüber im Klaren und bereit gewesen, sein Leben zu opfern. Ich wäre damals am liebsten auch gestorben. Aber das sind Anwandlungen, die vorübergehen, denn ein Mensch erträgt viel, erträgt alles.

[1] *Campesino = Landarbeiter*

Fernando Llort, o. J.

Glaube macht stark und erfinderisch

Bei uns im Hochland gab es damals schon die katholische Religion. Die Priester suchten sich Leute aus, die Katecheten werden wollten. Ich war ab meinem zwölften Lebensjahr Katechetin. Der Priester kam alle drei Monate in unsere Gegend. Er brachte Schriften mit, um uns den katholischen Glauben zu erklären. Wir lernten aber viel aus eigener Initiative, weil mein Vater sehr christlich war.

Unser Dorf liegt sehr schön, denn man kann sich mit lauten Rufen im ganzen Dorf verständigen und alle zum Gebet rufen. Manchmal rief man mich auch in ein Haus, um zu einem bestimmten Anlass mit der Familie den Rosenkranz zu beten, aber meistens beteten wir zu bestimmten Zeiten im Gemeindehaus. Ich arbeitete hauptsächlich mit Kindern.

Ich bin eine Katechetin, die mit beiden Füßen auf der Erde steht und keine, die nur an das Reich Gottes denkt.

Wenn jemand krank wird, versuchen wir ihn mit unserer alten indianischen Medizin zu heilen, beten aber auch einen Rosenkranz für den Kranken. Alle beten gemeinsam für den Kranken und hoffen, dass es ihm hilft.

Ich musste meine Aufenthalte ständig wechseln und einmal wurde ich selber krank. Das war die Zeit nach dem Tod meiner Mutter, als mir mein Geschwür aufbrach und ich vierzehn Tage im Bett bleiben musste. Es ging mir sehr schlecht. Danach ging ich in ein anderes Dorf und genau da entdeckte mich die Armee. In einem kleinen Dorf in Huehuetenango. Auf der Straße. Der Grund war wohl, dass ich es leid war. Ich war ganz krank davon, mich immer nur zu verstecken und irgendwann kommt der Moment, wo man einfach nicht mehr will. Ich ging auf der Straße und da kam ein Armee-Jeep. Er hätte mich fast überfahren und die Insassen sprachen mich mit meinem vollen Namen an. Das hieß für mich Verhaftung oder Tod. Ich wusste nicht, wie ich mich verhalten sollte. Ich wollte noch nicht sterben. Es gab noch so viel, was ich tun wollte. Sie sagten, sie wollten mit mir sprechen. Die Straße war so gut wie leer. Ich war mit jemand anderem zusammen. Wir wollten uns in einem Laden verstecken, aber das war sinnlos, weil sie uns da bestimmt umgebracht hätten. Also rannten wir, so schnell wir nur konnten zu der Kirche des Dörfchens. Wir schafften es hineinzukommen, aber die Soldaten sahen, dass wir hineinliefen. Sie suchten uns wie die Verrückten und kamen in die Kirche. Mich im Zimmer des Priesters zu verstecken war sinnlos, sie hätten mich in jedem Fall gefunden. Ich sagte mir: „Das ist es also. Mein Beitrag zum Kampf." Aber ich hatte Angst vorm Sterben und war überzeugt, noch so viel tun zu müssen. Damals hatte ich sehr, sehr langes Haar und trug es in einem Knoten. Ich löste mein Haar schnell und kämmte es nach unten. Dann kniete ich nieder und mein Haar bedeckte meine Schultern. Es waren nur zwei Menschen in der Kirche. Meine Compañera[1] kniete sich an der Seite der einen Person nieder und ich mich an der Seite der anderen. Dort kniete ich und wartete darauf, dass sie mich ergriffen. Sie rannten durch die Kirche und sahen uns nicht. Sie waren wie verrückt. An die Kirche schloss sich die Markthalle an und sie dachten, wir wären durch die Kirche zum Markt gelaufen. Sie erkannten uns nicht. Wir blieben länger als eineinhalb Stunden in der Kirche. Sie suchten uns im Markt und kurz darauf umstellten sie das Dorf. Wir konnten aber auf anderen Wegen entkommen.

nach Rigoberta Menchú

[1] = *(sprich: companjéra) Freundin*

ICH WILL MEIN HERZ DIR SCHENKEN

Keith Haring, 1987

Dû bist mîn,
ich bin dîn:
des solst dû gewis sîn.

Dû bist beslozzen
in mînem herzen:
verlorn ist daz slüzzelîn:
dû muost immer drinne sîn.

22

Gegen dieses blöde ‚Jungen-gegen-Mädchen'

Also, in der ersten Klasse, da ging es ja noch. Da waren die Jungs, na, da gab es noch keinen so großen Unterschied, da waren alle irgendwie gleich, Jungs und Mädchen. Da mussten wir alle sehen, wie wir so zurechtkamen mit all dem Neuen, mit der Schule und so; wie man sich benimmt, was erlaubt und was verboten war. Und das Lernen machte auch nicht immer Spaß.

In der zweiten Klasse fing es schon an, da taten die Jungs sich groß, besonders in der Pause. Die gaben an, sie wären stärker und so. Sie taten so, als wenn sie was Besseres wären. Sie fingen an, uns zu ärgern, nahmen uns Sachen weg, zogen Annette an den Haaren und wenn wir uns dann wehrten, kämpften sie uns nieder. Sie taten sowieso nichts anderes als kämpfen; es machte keinen Spaß mehr mit ihnen.

In der dritten Klasse wurde es dann ganz schlimm. Die Jungs spielten sich auf. In der Schulstunde, also, da waren sie ziemlich still. Aber sonst war es nicht mehr auszuhalten mit ihnen. Sie ärgerten uns immerzu. Wenn wir irgendwo ein Spiel anfingen, kamen sie und störten uns. Wenn wir uns im Hof auf die Bank setzten, kamen sie und stießen uns runter. Wenn wir vor der Mauer saßen, liefen sie dauernd über unsere Beine. Karla hänselten sie, weil sie so dick ist, Benita, weil sie dünn ist, Monika, weil sie rote Haare hat, Nina, weil sie schwarze Locken hat. Überhaupt behaupteten sie, alle Mädchen wären doof. Als wenn die besser wären mit ihren blöden Ärgern-Spielen, Angeber-Spielen und Kämpfen-Spielen. Denen fiel doch auch nichts Gescheites ein. Aber wenn sie mal was Gescheites spielten, dann ließen sie uns nicht mitspielen. Das war gemein, da konnte ich mich richtig ärgern, denn ich spielte lieber mit den Jungs. Die Mädchen wurden immer ängstlicher und langweiliger, die redeten bloß immerzu. Manchmal hatte ich Streit mit einem Jungen und es kam zum Kampf; denn alles gefallen lassen wollte ich mir auch nicht. Da nahm der mich dann in den Schwitzkasten oder tat so was Gemeines und ich konnte nichts dagegen machen.

Es machte wirklich keinen Spaß mehr. In den anderen Klassen war es nicht besser, das sahen wir auf dem Schulhof. Nur in den höheren Klassen hatten die Mädchen ihre Ruhe oder schon Freunde. Eigentlich habe ich gar nichts gegen Jungs, einzeln können sie ganz nett sein. Es ist mir sogar schon passiert, dass ich mit einem Jungen prima gespielt habe und nachher, als die anderen dabei waren, hat er sich genauso blöd benommen wie die. Jungs auf einem Haufen sind unausstehlich, na ja, Mädchen vielleicht auch. Ich hätte gern etwas dagegen getan, gegen dieses blöde Jungen-gegen-Mädchen.

Usch Barthelmeß-Weller

LANGE SCHATTEN

Rosie verbringt mit ihren Eltern und den beiden kleineren Schwestern einen langweiligen Urlaub am Meer in Italien. Eines Nachmittags geht sie einfach los in die nah gelegene Stadt. Sie will für sich sein. Aus einem offenen Fenster ruft ein zwölfjähriger Junge ihr etwas zu. Unternehmungslustig geworden, verläßt sie die Stadt auf einem anderen Weg, der in die Berge führt. Dort taucht plötzlich der Junge auf, den sie eben am Fenster gesehen hat. Er beginnt ihr die Gegend zu erklären, was Rosie zu langweilig wird. Sie schickt ihn weg. Kurze Zeit später ist er wieder bei ihr.

Was hat er, was will er, denkt sie, sie ist nicht von gestern, aber das kann doch wohl nicht sein, er ist höchstens zwölf Jahre alt, ein Kind. ... Weil er nicht fordern kann, fängt er an zu bitten und zu betteln, in der den Fremden verständlichen Sprache, die nur aus Nennformen besteht. Zu mir kommen, bitte, mich umarmen, bitte, küssen bitte, lieben bitte, alles ganz rasch hervorgestoßen mit zitternder Stimme und Lippen, über die der Speichel rinnt. Als Rosie zuerst noch, aber schon ängstlich, lacht und sagt, Unsinn, was fällt dir ein, wie alt bist du denn überhaupt, weicht er zurück, fährt aber gleich sozusagen vor ihren Augen aus einer Kinderhaut, bekommt zornige Stirnfalten und einen wilden, gierigen Blick. ... Er reißt sich das Hemd ab, auch die Hose, er steht plötzlich nackt in der grellheißen Steinmulde vor dem gelben Strauch und schweigt erschrocken, und ganz still ist es mit einemmal und von drunten hört man das geschwätzige, gefühllose Meer.

Rosie starrt den nackten Jungen an und vergißt ihre Angst, so schön erscheint er ihr plötzlich mit seinen braunen Gliedern, seinem Badehosengürtel von weißer Haut, seiner Blütenkrone um das schweißnasse schwarze Haar. Nur daß er jetzt aus seinem goldenen Heiligenschein tritt und auf sie zukommt und die langen, weißen Zähne fletscht, da ist er der Wolf aus dem Märchen, ein wildes Tier. Gegen Tiere kann man sich wehren, Rosies eigener schmalbrüstiger Vater hat das einmal getan, aber Rosie war noch klein damals, sie hat es vergessen, aber jetzt fällt es ihr wieder ein. Nein, Kind, keinen Stein, Hunden muß man nur ganz fest in die Augen sehen. ...

Rosie, die zusammengesunken wie ein Häufchen Unglück an der Felswand kauert, richtet sich auf, wächst, wächst aus ihren Kinderschultern und sieht dem Jungen zornig und starr in die Augen, viele Sekunden lang, ohne ein einziges Mal zu blinzeln und ohne ein Glied zu bewegen. Es ist noch immer furchtbar still und riecht nun plötzlich betäubend aus Millionen von unscheinbaren, honigsüßen, kräuterbitteren Macchiastauden, und in der Stille und dem Duft fällt doch der Junge wirklich in sich zusammen, wie eine Puppe, aus der das Sägemehl rinnt. ... Beschämt zieht sich der Junge unter Rosies Basiliskenblick zurück, Schritt für Schritt, wimmernd wie ein kranker Säugling, und auch Rosie schämt sich, eben der Wirkung dieses Blickes, den etwa vor einem Spiegel später zu wiederholen sie nie den Mut finden wird. ...

Rosie läuft den Zickzackweg hinab und will erleichtert sein, noch einmal davongekommen, nein, diese Väter, was man von den Vätern doch lernen kann, und ist im Grunde doch nichts als traurig, stolpert zwischen Wolfsmilchstauden und weißen Dornenbüschen, tränenblind. ... Während oben auf der Straße der Junge langsam nach Hause trottet, schlendert sie am Saum der Wellen zum Badestrand, zu den Eltern hin. Und so viel Zeit ist über all dem vergangen, daß die Sonne bereits schräg über dem Berge steht und daß sowohl Rosie wie der Junge im Gehen lange Schatten werfen, lange, weit voneinander entfernte Schatten, über die Kronen der jungen Pinien am Abhang, über das schon blassere Meer.

Marie Luise Kaschnitz

Edvard Munch, 1896

Edvard Munch, 1896

Paul & Sabine

Mit Sabine ging er drei Monate lang. Ganz offiziell, mit Liebesbriefen, Passfotostausch und einem unglaublichen Getratsche drumherum. Berthold ging mit Bettina, aber Paul nahm das nicht sonderlich ernst. Irgendwie hatte er das Gefühl, dass Berthold einfach nur so mitmachte. Die Mädchen hatten viel für ihn übrig. Sie konnten sich gut mit ihm unterhalten. Ohne Stress.

Mit Sabine redete Paul während der gesamten drei Monate höchstens zehn Sätze. Naja, vielleicht auch ein paar mehr. Aber wenn er sie sah, guckte er schnell weg oder machte einen blöden Witz und brachte kein vernünftiges Wort heraus. Sie gingen zusammen, das war wohl das Wichtigste, aber es folgte nichts daraus. Was auch!? Sabine zu küssen, das konnte er sich nur vorstellen. Sie zu küssen wie er gefühlt hatte, als er einmal abends in seinem Bett Radio hörte und plötzlich so ein steinalter Schlager kam? Eigentlich völlig blöd, was für alte Leute, und doch schmolz Paul nur so dahin:

Aber dich gibt's nur einmal für mich.
Schon der Gedanke,
dass ich dich einmal verlieren könnt,
dass dich ein anderer Mann
einmal sein eigen nennt,
der macht mich traurig
weil du für mich die Erfüllung bist,
was wär die Welt ohne dich, dich, dich …

Völliger Wahnsinn! Er hatte das Licht ausgemacht und sich im Bett aufrecht hingesetzt. Er dachte an Sabine. Nur an sie und an sich. Sabines Gesicht, sie lächelte. „Du bist mein", flüsterte es in ihm. Fast wären ihm die Tränen gekommen.

aus ‚Prinzenrolle'

Fast ein Liebeslied

Ich wollte dir ein Liebeslied schreiben,
Eines, das nur von dir erzählt,
In dem nicht die Triebe die Liebe vertreiben,
Und das nicht unter die Schnulzen fällt.
Es sollte ganz einfach „ich liebe dich" sagen,
Mit ein paar Worten und Tönen dazu.
Doch fehlen mir ganz einfach die Worte dazu.

Ich wollte dir ein Liebeslied schenken,
So wie man einen Strauß Blumen verschenkt.
Ich wollt' tausend Bilder für dich erdenken,
Und hab' meine Liebe in Reime gezwängt.
Ich habe gegrübelt in langen Stunden,
Hab' Bogen und Blätter mit Zeilen gefüllt.
Und hab' sie nicht neu genug für dich gefunden,
Enttäuscht hab' ich sie zerrissen – zerknüllt.

Man hat mich gelehrt Probleme zu nennen
Und wie man heiße Eisen anfasst
Und loslässt ohne sich zu verbrennen,
So wie es einem gerade passt.
Ich habe gelernt gescheit zu erzählen,
Mit feinen Leuten um Mitternacht.
Für jeden das richt'ge Klischee auszuwählen
Und zu tun, als hätt' ich es selber erdacht.

Hab' Lieder von weltbewegenden Dingen,
Nur, das, was mir am nächsten liegt,
ganz einfach „ich liebe dich" zu singen,
das hab' ich heut' noch nicht fertig gekriegt.

Reinhard Mey

Pablo Picasso, 1954

Roy Lichtenstein, 1964

Leserbrief aus einer Jugendzeitschrift

Neulich hat mich ein sehr netter Junge gefragt, ob ich mit ihm gehen wolle. Ich habe ihm aber noch keine Antwort gegeben, weil mich die Frage quält, was ‚Miteinander gehen' eigentlich heißt. Irgendwie traue ich mich nicht, den Jungen danach zu fragen, aus Angst, er lacht mich aus. Lebe ich hinterm Mond, wenn ich das nicht weiß? Heißt miteinander gehen: Dass ich mit ihm ins Bett gehe (mit 14 Jahren)? Dass wir uns täglich treffen, Händchen halten und uns küssen? Oder dass ich mit ihm Petting mache (ich hatte damit schon schlechte Erfahrungen)? Oder dass man nur gut Freund ist?
Ich möchte dem netten Jungen bald antworten.

Antje, 14, Hamburg

FÜNFZEHN

Sie trägt einen Rock, den kann man nicht beschreiben, denn schon ein einziges Wort wäre zu lang. Ihr Schal dagegen ähnelt einer Doppelschleppe: lässig um den Hals geworfen, fällt er in ganzer Breite über Schienbein und Wade. (Am liebsten hätte sie einen Schal, an dem mindestens drei Großmütter zweieinhalb Jahre gestrickt haben – eine Art Niagara-Fall aus Wolle. Ich glaube, von einem solchen Schal würde sie behaupten, daß er genau ihrem Lebensgefühl entspricht. Doch wer hat vor zweieinhalb Jahren wissen können, daß solche Schals heute Mode sein würden.) Zum Schal trägt sie Tennisschuhe, auf denen jeder ihrer Freunde und jede ihrer Freundinnen unterschrieben haben. Sie ist fünfzehn Jahre alt und gibt nichts auf die Meinung uralter Leute – das sind alle Leute über dreißig.
Könnte einer von ihnen sie verstehen, selbst wenn er sich bemühen würde? Ich bin über dreißig.

Wenn sie Musik hört, vibrieren noch im übernächsten Zimmer die Türfüllungen. Ich weiß, diese Lautstärke bedeutet für sie Lustgewinn. Teilbefriedigung ihres Bedürfnisses nach Protest. Überschallverdrängung unangenehmer logischer Schlüsse. Trance. Dennoch ertappe ich mich immer wieder bei einer Kurzschlußreaktion: Ich spüre plötzlich den Drang in mir, sie zu bitten, das Radio leiser zu stellen. Wie also könnte ich sie verstehen – bei diesem Nervensystem?
Noch hinderlicher ist die Neigung, allzu hochragende Gedanken erden zu wollen.
Auf den Möbeln ihres Zimmers flockt der Staub. Unter ihrem Bett wallt er. Dazwischen liegen Haarklemmen, ein Taschenspiegel, Knautschlacklederreste, Schnellhefter, Apfelstiele, ein Plastikbeutel mit der Aufschrift „Der Duft der großen weiten Welt", angelesene und übereinandergestülpte Bücher (Hesse, Karl May, Hölderlin), Jeans mit in sich gekehrten Hosenbeinen, halb- und dreiviertel gewendete Pullover, Strumpfhosen, Nylon und benutzte Taschentücher. (Die Ausläufer dieser Hügellandschaft erstrecken sich bis ins Bad und in die Küche.) Ich weiß: Sie will sich nicht den Nichtigkeiten des Lebens ausliefern. Sie fürchtet die Einengung des Blicks, des Geistes. Sie fürchtet die Abstumpfung der Seele durch Wiederholung! Außerdem wägt sie die Tätigkeiten gegeneinander ab nach dem Maß an Unlustgefühlen, das mit ihnen verbunden sein könnte, und betrachtet es als Ausdruck persönlicher Freiheit, die unlustintensiveren zu ignorieren. Doch nicht nur, daß ich ab und zu heimlich ihr Zimmer wische, um ihre Mutter vor Herzkrämpfen zu bewahren – ich muß mich auch der Versuchung erwehren, diese Nichtigkeiten ins Blickfeld zu rücken und auf die Ausbildung innerer Zwänge hinzuwirken.

Einmal bin ich dieser Versuchung erlegen. Sie ekelt sich schrecklich vor Spinnen. Also sagte ich: „Unter deinem Bett waren zwei Spinnennester."
Ihre mit lila Augentusche nachgedunkelten Lider verschwanden hinter den hervortretenden Augäpfeln, und sie begann „Iix! Ääx! Uh!" zu rufen, so daß ihre Englischlehrerin, wäre sie zugegen gewesen, von so viel Kehlkopfknacklauten – englisch „glottal stops" – ohnmächtig geworden wäre. „Und warum bauen die ihre Nester gerade bei mir unterm Bett?" „Dort werden sie nicht oft gestört." Direkter wollte ich nicht werden, und sie ist intelligent.

Am Abend hatte sie ihr inneres Gleichgewicht wiedergewonnen. Im Bett liegend, machte sie einen fast überlegenen Eindruck. Ihre Hausschuhe standen auf dem Klavier. „Die stelle ich jetzt immer dorthin", sagte sie. „Damit keine Spinnen hineinkriechen können."

Reiner Kunze

Paul Cézanne, 1888-1890

Nach dem Gespräch Davids mit Saul
schloss Jonatan David in sein Herz.
Und Jonatan liebte David
wie sein eigenes Leben.
Saul behielt David von jenem Tag an bei sich
und ließ ihn nicht mehr in das Haus
seines Vaters zurückkehren. Jonatan schloss
mit David einen Bund, weil er ihn
für sein Leben liebte.
Er zog den Mantel, den er anhatte, aus
und gab ihn David, ebenso seine Rüstung,
sein Schwert, seinen Bogen
und seinen Gürtel.

1 Samuel 18,1-4

TRÄUME UND SEHN-SÜCHTE

Einmal hatte Josef einen Traum,
den erzählte er seinen Brüdern:
„Hört doch den Traum",
sprach er zu ihnen,
„den Traum, den ich hatte.
Wir banden Garben auf dem Felde.
Da richtete sich meine Garbe auf
und stand hoch und gerade.
Eure Garben
traten im Kreis um sie her
und verneigten sich vor meiner Garbe."

Da fuhren ihn seine Brüder an:
„Du willst wohl gar
unser Fürst werden
und über uns herrschen?"

Er hatte noch einen Traum,
den erzählte er auch:
„Schaut her!
Ich hatte einen Traum:
Die Sonne, der Mond und die elf Sterne
verneigten sich vor mir!"

Da schalt ihn sein Vater:
„Was ist das für ein Traum,
den du geträumt hast?
Sollen ich, deine Mutter
und deine elf Brüder kommen
und uns vor dir zur Erde beugen?"

Aber der Vater
behielt die Worte im Gedächtnis.

nach Genesis 37, 5-11

Über sieben Brücken musst du geh'n

Manchmal geh' ich meine Straße ohne Blick.
Manchmal wünsch' ich mir
        mein Schaukelpferd zurück.
Manchmal bin ich ohne Rast und Ruh',
manchmal schließ' ich alle Türen nach mir zu.
Manchmal ist mir kalt und manchmal heiß,
manchmal weiß ich nicht mehr, was ich weiß.
Manchmal bin ich schon am Morgen müd,
und dann such ich Trost in einem Lied.

Über sieben Brücken musst du gehn,
sieben dunkle Jahre überstehn,
siebenmal wirst du die Asche sein,
aber einmal auch der helle Schein.

Manchmal scheint die Uhr des Lebens
        stillzusteh'n,
manchmal scheint man immmer
        nur im Kreis zu gehn.
Manchmal ist man wie von Fernweh krank,
manchmal sitzt man still auf einer Bank.
Manchmal greift man nach der ganzen Welt,
manchmal meint man, dass der Glücksstern fällt.
Manchmal nimmt man, wo man lieber gibt,
manchmal hasst man das, was man doch liebt.

Über sieben Brücken musst du geh'n
…

Karat

Odilon Redon, um 1908

Du kannst fliegen, ja du kannst!
Lass den Wind von vorne wehen,
Breite die Flügel, du wirst sehn
Du kannst fliegen, ja, du kannst!
      Reinhard Mey

Die Realität

In der trägen Stunde zwischen Zwei und Drei lag ich auf dem Sofa im Wohnzimmer, die Hände unterm Kopf verschränkt, hinüberstarrend auf den Farbdruck an der Wand. ... Das Fenster zur Straße stand offen, draußen staubte weißes Sonnenlicht, vom Tennisplatz an der gegenüberliegenden Straßenseite tönten träge, dumpfe Ballschläge. Zuweilen summte dicht unterm Fenster ein Auto vorbei oder eine Radglocke klingelte. Der Gedanke an die Stadt draußen belebte mich, ich sah die langen breiten Straßenzüge vor mir, die riesigen ... Häuser, die Schlösser, Museen, Monumente und Türme, die Hochbahnen auf ihren Brücken und die unterirdischen Bahnen, mit ihrem Gedränge und ihren klappernden Reklameschildern.

Schon wollte ich aufstehen, da stand meine Mutter vor mir. Nie merkte ich, wie sie ins Zimmer kam, immer erschien sie plötzlich mitten im Zimmer, wie aus dem Boden emporgewachsen, den Raum mit ihrer Allmacht beherrschend. Hast du deine Aufgaben gemacht, fragte sie, und ich sank zurück in meine Müdigkeit. Noch einmal fragte sie, bist du schon fertig mit deinen Aufgaben. Aus meiner dumpfen Lage heraus antwortete ich, ich mache sie später. Sie aber rief, du machst sie jetzt. Ich mache sie nachher, sagte ich, in einem schwachen Versuch des Widerspruchs. ... Dicht trat sie an mich heran und die Worte fielen wie Steine auf mich herab, du musst büffeln und wieder büffeln. Du hast noch ein paar Jahre, dann wirst du ins Leben hinaustreten und dazu mußt du etwas können, sonst gehst du zugrunde. Sie zog mich an meinen Schreibtisch zu den Schulbüchern. Du darfst keine Schande machen, sagte sie. Ich leide schlaflose Nächte deinetwegen. Ich bin verantwortlich für dich. Wenn du nichts kannst, dann fällt das auf mich zurück. Leben heißt arbeiten, arbeiten und arbeiten und immer wieder arbeiten. Dann ließ sie mich allein.

Neben mir auf einem Brett stand das Modell einer Stadt, das ich mir aus Papier und Zellophan, aus Drähten und Stäbchen erbaut hatte. Nach meinen zerstörerischen Spielen war dies der erste konstruktive Versuch. Es war eine Zukunftsstadt, eine utopische Metropole, doch sie war unvollendet, skeletthaft. ...

Während ich über meinem Tagebuch brütete, öffnete sich die Tür und mein Vater trat ein. Er sah mich am Schreibtisch hocken, bei irgendwelchen Beschäftigungen an denen er nie teilhaben durfte, er sah, wie hastig etwas in der Schublade verschwand. Was treibst du denn da, fragte er. Ich mache Schulaufgaben, sagte ich. Ja, darüber wollte ich gern mit dir sprechen, sagte er. Eine peinliche Spannung trat ein, wie immer bei solchen Gesprächen. Du bist jetzt alt genug, sagte er, daß ich einmal mit dir über Berufsfragen sprechen muß. Wie denkst du dir eigentlich deine Zukunft? ... Ich schlage dir vor, daß du in die Handelsschule eintrittst und dann in mein Kontor kommst. ...

Sein Gesicht war grau und vergrämt. Wenn man vom Leben sprach, mußte man grau und vergrämt sein. Leben war Ernst, Mühe, Verantwortung. Mein Gesicht, das Gesicht eines Nichtskönners und Tagediebs, verzog sich zu einem verlegenen, stereotypen Grinsen. Gekränkt sagte mein Vater, du brauchst gar nicht zu lachen, das Leben ist kein Spaß. Es wird Zeit, daß du einmal wirklich arbeiten lernst. Vielleicht spürte er eine Regung von Zärtlichkeit für mich. Doch als er meinen schiefen, feindseligen Blick sah, mußte er sich hart machen und seinen Willen zeigen. Mit der flachen Hand schlug er auf den Tisch und rief, wenn dieses Schuljahr zu Ende ist, dann ist Schluß mit den Träumereien, dann wirst du dich endlich der Realität des Daseins widmen. Die Realität des Daseins.

Peter Weiß

René Magritte, 1936

JACQUELINE

Mit 14 Jahren schwärmte ich für einen Jungen aus meiner Schule, Michael. Im Winter fuhren wir mit einer Jugendgruppe in die Schweiz ins Skilager. Ich war damals zum ersten Mal von zu Hause fort; Michael war auch dabei. Am Ende dieser Woche, die für mich eigentlich sehr schön war, erfuhr ich so nebenbei, dass Michael sich in ein Mädchen aus unserer Schule, Sabine, verliebt hatte. Viele hielten sie für die Schönheit der ganzen Schule. Und auch ich hatte sie im Stillen schon lange wegen ihrer Superfigur und ihren langen schwarzen Haaren bewundert und beneidet. Mich dagegen fand ich dick, dumm und hässlich. Ich fühlte mich unendlich minderwertig und unsicher. Früher hatte ich mich mit meinen Brüdern kräftemäßig gemessen, jetzt begann ich mich mit Mädchen zu vergleichen. Ich legte auf einmal Wert auf mein Aussehen und ertappte mich des Öfteren dabei, dass ich mich vor allem mit Sabine verglich und mir ihre Traumfigur wünschte.

Bis zu dieser Zeit hatte ich sehr viele Süßigkeiten gegessen, was meine Mutter immer ärgerte. Oft ließ ich das Pausenbrot liegen und kaufte mir etwas Süßes. Doch nach diesem Ferienaufenthalt stand für mich fest, keine Süßigkeiten mehr zu essen. Und tatsächlich nahm ich einige Pfunde ab. So ging es weiter; mein Wunsch nach Schönheit und Schlankheit wuchs und beschäftigte mich mehr und mehr. Mein Hauptgedanke war Abnehmen.

MARTIN

Irgendetwas hatten sie mit Martin auf dem Schulfest vor – das spürte er ganz deutlich.

Egge und Strehl zogen ihn zwischen sich, so dass er sich nicht mehr rühren konnte. „Also, Lappi – Martin, besser gesagt, wir haben uns überlegt, dass du zu uns gehören kannst, wenn du willst." Egges Stimme war so freundlich, als wollte er ihm Schokolade schenken. Aber Martin war misstrauisch geworden und sagte nichts.
Egge boxte ihn in die Seite: „Ey, Martin, wir haben dir einen Vorschlag gemacht!"
„Lasst mich los, ich will gehen."
„Nein, Martin, echt. Ehrlich, du hast das alles so super gemacht! Komm trink wenigstens einen Schluck!"
Angewidert fuhr Martin vor der Flasche zurück, die Egge ihm unter die Nase hielt. „Ich trinke nichts!"
„Du würdest aber gerne, stimmt's?" Egge drehte den Verschluss von der Flasche und nahm selber einen Schluck. „Komm, Brüderchen, Martin!"
Die Flasche kreiste. Jeder trank ein- oder zweimal und nach zwei Runden war der Flachmann leer.
„Mhm, Rum!", schnalzte Egge und fuhr sich über die Lippen. „Du ahnst gar nicht, was du verpasst. Oder hast du Angst, Mami könnte was riechen?"
„Unser Martin doch nicht!", grinste Brockmeyer. „Unser Martin ist groß und stark und wenn Mami etwas sagt, dann kriegt sie eins aufs Maul. So einer ist unser Martin! Ein ganz cooler Typ."

Der zweite Flachmann wurde herumgereicht. Es roch stechend nach Alkohol und Martin hatte das Gefühl, schon vom Geruch betrunken zu werden. Und sie stichelten immer weiter. Immer schlimmer.
„Aus dir wird nie ein Mann werden, Martin, wenn du so weitermachst."
Martin wollte sich die Ohren zuhalten. Sie ließen ihn nicht. …

„Komm, Martin, du brauchst jetzt einen Beruhigungsschluck. Kern ist pervers. Am besten, du siehst das ganz locker." Er hielt Martin den Flachmann hin. Und Martin griff zu. Trank.

Zu Silvester hatte er ein halbes Gläschen Sekt trinken dürfen. Ihm war so schummerig davon geworden, dass er in den Armen seiner Mutter eingeschlafen war. Seitdem ging er Alkohol aus dem Weg. Jetzt trank er zum ersten Mal in seinem Leben etwas Hartes. Es brannte von der Kehle bis in den Magen hinunter.

Feuer kroch ihm durch die Adern. Wieder kreiste ein Flachmann.

Sie starrten ihn an. Das-bringst-du-nicht-Lappi!

Natürlich brachte er das! Er nahm einen Schluck von dem Zeug, dann noch einen. So schlecht schmeckte es gar nicht. Ganz gut sogar, dachte er. Und alles wurde viel leichter. So anders.

„Ey, Egge, guck mal, der Kleine wird gierig!"

Sie meinten ihn, aber das interessierte ihn schon gar nicht mehr. Er trank weiter wie einer, der am verdursten war.

In beiden Ohren dröhnte eine Band. Die Gesichter um ihn begannen zu schaukeln und fuhren dann grinsend im Kreis.

„Ey, dem wird schlecht – gleich kotzt der hier alles voll! Echt, super Idee von dir, Egge!"

„Der braucht Luft und 'n tiefes Klo. Ey, Martin, reiß dich zusammen!"

Sie meinten ihn. Sie packten seine Schultern und schüttelten ihn.

„Geh auf die Toilette und steck dir 'n Finger in den Hals!"

„Das bringt der nicht mehr. Einer muss mit. Los Jochen, Joe!"

Sie meinten immer noch ihn. Und keiner wollte mit.

„Ich bin doch keine Krankenschwester! Du hast uns das eingebrockt, Egge. Du gehst mit!"

Sie hatten ihn längst losgelassen. Er war frei. Aber er konnte nicht mehr gehen, nur noch kriechen. Sie schoben ihn unter den Tisch, dann kroch er den Gang entlang und irgendwie war er auch noch fähig zu kapieren, dass er so nicht durch die Pausenhalle konnte, auf allen vieren, ohne dass jeder sah, was mit ihm los war. Er zog sich an einer Stellwand hoch, und da er ein Leichtgewicht war, kippte sie nicht um. Ein paar Momente stand er schnaufend da. Nichts war mehr so, wie er es kannte. Er schwankte, kippte, drehte sich unter seinen Füßen weg.

Musst du dich eben dran gewöhnen, Martin.

Nicht so eng sehen. Ganz locker bleiben, ganz cool.

Er kam bis zur Treppe. Im dichten Gedränge fiel er niemandem auf, denn gerade hob das Raumschiff ‚Edelweiß' ab und alle sangen mit:

„Beam me to the stars,
beam me up to mars,
beam me up to see
starship edelweiss."

Für Martin kippte die Treppe weg.

aus: Was ist denn schon dabei?

Jean-Michel Basquiat, 1984

Drugs

Thomas
Thomas wurde auf dem Hauptbahnhof im Männerklo gefunden. Überdosis Heroin. Die Spritze steckte noch in seinem Arm. In seiner Jackentasche hatte er ein sauber geführtes Tagebuch ... 1974 war Thomas zwölf Jahre alt.

20. 1. 74
Wir haben gestern wieder Mathe geschwänzt. Stattdessen sind wir ins Klo gegangen und haben geraucht. Und nach der Schule haben wir von Karin Einladungen für eine Party gekriegt. Also bin ich so um 3 Uhr hingegangen. Als ich hinkam, sah ich gerade Karins Eltern wegfahren. Im Partykeller standen drei Schnapsflaschen, die Karin sich durch ihre große Schwester beschafft hatte. Und während der Party schütteten wir das Zeug nur so in uns rein. Ich war kaum wieder zu Hause, da wurde mir schlecht. Die ganze Nacht hing ich auf dem Klo. Heute Morgen in der Schule brummte mir der Schädel.

3. 6. 74
Heute bin ich aus purer Neugier mit meinen Freunden in die U-Bahn gelaufen. Wir hofften, einen Typen zu treffen, der Aufputschmittel und Sonstiges verkauft. Und tatsächlich haben wir einen getroffen. Wir legten unser Geld zusammen und kauften ein Aufputschmittel. Und um das Geld wieder reinzukriegen, haben wir in einem Plattenladen wieder einen Stapel gemopst. Die verkaufen wir nächsten Samstag auf dem Flohmarkt oder verkaufen sie an Freunde.

17. 2. 76
Ich brauche dieses Aufputschmittel immer öfter. Schrecklich. Ich muss Zeug von mir verkaufen, um das Geld für die Mittel zu haben. Ich habe schon mal überlegt, es mit Kokain zu versuchen. Das ist zwar teuer, aber es hält auch länger an.

11. 7. 76
Ich fühle mich ganz mies, ganz tief unten. Ich nehme Drogen und trinke Schnaps bis zum Geht-nicht-mehr. Aber ich glaube, es gibt viele in Frankfurt, denen es genauso geht wie mir. Nirgends kann man sich nämlich aufhalten. Geht man in die Disco, sind überall Dealer, die ihren Stoff loswerden wollen. Und latscht man mal nur so allein auf der Straße rum, kommen wieder die Dealer und die Sektenheinis. Deswegen will ich den Alltag so schnell wie möglich vergessen. Und das geht am besten mit Drogen.

Clarissa
Clarissa war dreizehn, ihre Schwester Natascha fünfzehn. Eines Tages fing Natascha an Haschisch zu rauchen. Clarissa wusste erst nichts davon. Sie merkte nur, dass Natascha fast jeden Abend weg war und sehr spät nach Hause kam. Auch in der Schule wurde sie schlechter, sie schwänzte oft einzelne Unterrichtsstunden. Und mit ihr zum Schwimmen gehen, wollte sie auch nicht mehr.
Aber dann brach Natascha Clarissa gegenüber ihr Schweigen. Sie erzählte, dass sie oft mit ihren Freunden zusammen Haschisch raucht. Dabei betonte sie: „Das ist ganz ungefährlich. Man wird bestimmt nicht abhängig davon." Sie vertraute Clarissa auch an, dass das Haschischrauchen viel Spaß macht und dass sie gar nicht mehr an die Probleme in der Schule denken muss.

Ein paar Tage später nahm Natascha Clarissa beiseite und bat sie um Geld. Sie brauche es dringend, denn sie habe große Schulden. Sie sagte, wenn sie die nicht bezahle, dann gehe es ihr schlecht. Clarissa war sich im Unklaren, was sie der Schwester antworten und was sie tun solle.

Jenny Holzer, 1987

MITEINANDER STREITEN

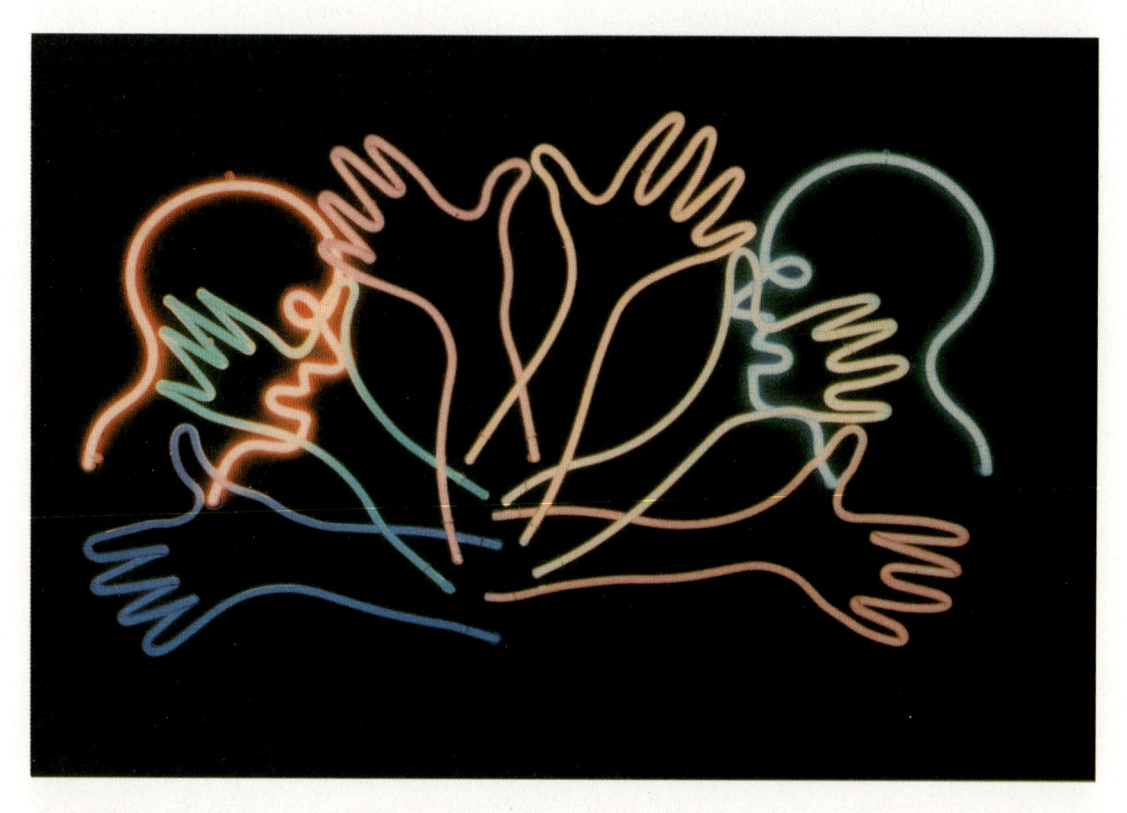

Bruce Naumann, 1985

40

In die Luft

Walter geht neben ihm. Einfach neben ihm. Walter schlenkert mit den Armen. Und ein bisschen mit den Füßen. Es ist gar nichts Besonderes dabei.

Lothar fasst seinen Turnbeutel fester. Dabei schielt er nach Walters Schuhen.

Rechts zieht sich der Wall hin. Und auf dem Wall ist ein Weg. Ein breiter Weg. Viel Platz ist da oben. Aber sie gehen nicht oben, sie gehen unten. Sie drängeln sich auf dem Pfad, Montag für Montag. Lothar weiß nicht, warum. Keiner bricht aus. Es fängt an zu nieseln.

Links der Teich – grau, nein, schwärzlich. Ob er tief ist? Wie tief? Ob man darin ertrinken kann? Bestimmt nicht so tief, denkt Lothar. Er schielt wieder nach Walters Füßen. Die Enten und die Schwäne und die Wasserhühner leben ja auch darin. Doch – ganz, ganz tief. Denn früher haben die Schlossteiche den Grafen Schutz gegeben. Die Feinde sollten hineinfallen und wenn die Feinde hineinfallen sollten, dann muss der Teich ganz, ganz tief sein – sonst hätte er ja keinen Zweck gehabt. Aber das ist lange her. Es gibt keine Grafen mehr im Schloss, nur ein Museum, in dem kann man ein paar Ritterrüstungen angucken. Das ist alles. Vielleicht ist mal jemand gekommen und hat Erde in den Schlossteich gekippt. Aber wer?

Walter stößt Lothar mit dem linken Oberarm. Ein bisschen. Aus Zufall. Oder auch nicht aus Zufall. Die andern haben nichts gemerkt. Die schlendern vor sich hin und schwatzen und lachen und lassen ihre Turnbeutel im Takt pendeln. Oder sie haben doch was gemerkt und wollen nur nichts merken?

Lothar zieht die Schulter hoch und versucht auf gleiche Höhe mit Karsten zu kommen. Komisch, das klappt nicht. Er geht schneller, aber Walter bleibt neben ihm. Und Karsten ist schon zwei Schritte weiter oder sogar zweieinhalb.

Walter schubst wieder mit dem linken Oberarm.

„Lass das doch", murmelt Lothar.

Walter lacht. „Lass das, ich hass das, meine Mama will das nicht", singt er.

Lothar zuckt zusammen.

An der Bank wird es eng. Da müssen sie im Gänsemarsch vorbei. Der ganze Haufen muss sich verschieben und neu zusammensetzen. Hinter der Bank atmet Lothar auf. Karstens Anorakkapuze wippt vor seinem Gesicht, er könnte die Hand ausstrecken und Karsten festhalten, nur noch eineinhalb Schritte –

„Mensch", sagt Karsten zu Tobias und macht einen Satz nach vorn, „so viel Geld kriegste doch allein nie zusammen! Da musste dir zu allen Geburtstagen und zu allen Weihnachten Geld wünschen – das dauert ewig!"

Und Walter ist wieder auf gleicher Höhe wie Lothar. Plötzlich hat Lothar einen Fuß zwischen seinen Füßen. Es ist Walters Fuß. Lothar strauchelt, geht weiter. Er spürt kalte Tropfen auf der Stirn und auf der Oberlippe. Dann ist Walters Fuß wieder bei Lothar. Montags abends ist es vorbei. Geschafft. Dann liegt die Woche klar da, mit Deutsch-Stunden, na ja, die kann keiner leiden, und Erdkotz, das ist nun mal so. Aber am Freitag werden die anderen immer lustiger, die Papierflieger zischen noch geschwinder als sonst. Das Wochenende kommt. Nur Lothar wird immer stiller. Denn mit dem Wochenende rückt auch der Montag näher.

Eigentlich ist ein Tag irre lang. Was kann man an einem einzigen Sonntag alles machen! Den Hamster Krümel streicheln, Fernseh gucken, Kassetten hören, in ‚Tom Sawyer' lesen, zu Karsten gehen – und gerade wenn man Krümel streichelt oder zu Karsten geht, müsste man noch gar nicht an den Montag denken. Aber Lothar denkt eben doch an den Montag.

Elke Langstein-Jäger

Jeff Wall, 1994

Frankfurter Rundschau   25. 10. 1996

Trauer um Achmed: Er wollte helfen

Ein syrischer Asylbewerber ist im Streit mit zwei Deutschen in Leipzig erstochen worden. Er wollte zwei Verkäuferinnen verteidigen.

Von Sabine Fuchs

Leipzig. Der syrische Gemüsehändler Schahim steht vor seinem Geschäft in der Leipziger Karl-Liebknecht-Straße und weint. Dann zupft er noch einmal die Schleife am Kranz für seinen Freund Achmed zurecht, der einen Tag zuvor feige niedergestochen worden war.

Freunde und Kunden legten Kränze nieder

Freunde und Kunden haben Kränze und Blumen niedergelegt. „Unserem lieben Achmed in stillem Gedenken" ist auf einem Trauerflor zu lesen. Bekannte und Nachbarn können noch immer nicht fassen, dass der syrische Asylbewerber getötet wurde, weil er zwei Verkäuferinnen beistehen wollte, die von zwei Jugendlichen angepöbelt worden waren. Achmed war sehr beliebt in der Gegend, sagt der benachbarte Fleischermeister. Von früh bis abends habe er in dem Laden gestanden und sei stets freundlich und hilfsbereit gewesen. Für Schahim ist es zwar ein Trost, dass die Polizei die beiden mutmaßlichen 18 und 20 Jahre alten Täter fassen konnte. Doch seinen Freund bringe das auch nicht wieder, meint der 30-jährige Schahim, der seit elf Jahren in Deutschland lebt.

Die Jugendlichen pöbelten und randalierten

Die Verwüstungen vom Vorabend hat Schahim inzwischen beseitigt. Bevor die Jugendlichen die zwei Verkäuferinnen als ‚Türkenweiber' beschimpft und angepöbelt hatten, randalierten sie in dem Laden, warfen Kisten mit Äpfeln, Orangen und Pampelmusen um. Dann gingen sie auf die beiden Frauen los. Achmed wollte ihnen beistehen und ging dazwischen. Einer der Jugendlichen, für die der Haftantrag inzwischen gestellt ist, zog ein 30 Zentimeter langes Küchenmesser und stach zu. Vergeblich kämpften die Ärzte um Achmeds Leben. Er verblutete.

Die Kummerlöser

In einem ‚mühsamen Prozess' haben alle 18 Klassen der IGS Kastellstraße eine eigene Schulordnung formuliert. Im Zentrum steht der Wunsch, bei festgefahrenen Problemen in der Schule in einem Konfliktausschuss – dem ‚Konfliktlöser' – zwischen den Streitenden zu vermitteln.

Als Peter Held den grünen Kummerkasten öffnet, fällt ihm ein dicker Brief der Klasse 6a entgegen. Sie schildert darin ausführlich die Probleme, die sie mit Marius hat. Marius ist der Außenseiter der 6a. Er „stiehlt, er lügt, er tritt" und ist nicht davon abzubringen, obwohl sein Fall schon zigmal im Klassenrat verhandelt wurde. „Könnt ihr uns helfen? SOS! Wir möchten gut mit ihm auskommen!", endet der Brief der ratlosen Klasse an die Kummerlöser, die in solchen Fällen genau der richtige Ansprechpartner sind. …

Beim nächsten Treffen der Kummerlöser beschäftigt sich das Gremium mit dem Brief der 6a und beschließt, erst Marius und dann eine Klassenkameradin zu einem Gespräch einzuladen, um sich ein Bild von der Situation machen zu können. Denn eines ist klar, bei Konflikten und deren Klärung geht es nicht um Schuld oder Unschuld, da erfahrungsgemäß jeder der Beteiligten seinen Anteil daran hat. Es geht vielmehr darum, die ‚Konfliktgeschichte aufzudröseln', sich unparteiisch und wertfrei beide Seiten anzuhören, sich in die Situation hineinzuversetzen und so lange Rückfragen zu stellen, bis man es wirklich verstanden hat, dabei nicht zu psychologisieren oder interpretieren, um schließlich gemeinsam eine Lösung zu finden, die für alle akzeptabel ist und bei der niemand das Gesicht verliert. … Grenzen ziehen die Kummerlöser immer dann, wenn es um Konflikte geht, die im familiären Bereich oder in der Persönlichkeit des Menschen liegen. …

Die Kummerlöser schlagen der Klasse vor, zwei leere Plakate im Klassenraum aufzuhängen, eines für Marius und eines für die Klasse. Auf dem einen soll Marius notieren, was er an seinen Kameraden und Kameradinnen gut findet, auf dem anderen soll die Klasse festhalten, was sie an Marius mag. Die Plakate sind ein Versuch, über eine veränderte Sichtweise zu einer anderen Haltung zu kommen. Die Kontrahenten sollen für eine Weile einfach mal die schlechten Seiten des anderen vergessen und schauen, ob es nicht auch gute Seiten gibt.

Zwei Wochen lang hängen die Plakate in der 6a und füllen sich langsam. Am Ende der vereinbarten Zeit besuchen die Kummerlöser die Klasse, um über die Plakate und ihre Wirkung mit den Schülerinnen und Schülern zu reden. Drei bis vier Wochen später wird dann nochmals Kontakt mit der Klassenlehrerin aufgenommen, die die Plakataktion flankierend begleitet hat. Sie bestätigt den Eindruck, dass sich die Lage in der 6a beruhigt hat. Der Konflikt zwischen Marius und seinen Mitschülern und Mitschülerinnen ist (vorerst) gelöst. …

Natürlich kommen auch Konflikte zwischen Lehrerinnen und Lehrern einerseits und Schülerinnen und Schülern andererseits (ungerechte Behandlung, Benachteiligung, Unterricht) zur Sprache. … „Es hat mich Überwindung gekostet, mich der Kritik zu stellen", bestätigte eine Mathematiklehrerin, deren Klasse absolut unzufrieden mit ihrem Unterricht war. Aber sie „fühlte sich gut vertreten", und da die Vorschläge der Kummerlöser nicht utopisch, sondern realisierbar waren, hat sich nach einem halben Jahr – so lange lief der ausgehandelte Vertrag – die Arbeitsatmosphäre tatsächlich verbessert.

Susanne Broos

Kain und Abel

Emil Nolde, 1938/45

Kains Brudermord

Und Adam erkannte sein Weib Eva
und sie ward schwanger
und gebar den Kain
und sprach: Ich habe einen Mann gewonnen
mit Hilfe des Herrn. Danach gebar sie Abel,
seinen Bruder. Und Abel wurde ein Schäfer,
Kain aber wurde ein Ackermann.
Es begab sich aber nach etlicher Zeit,
dass Kain dem Herrn Opfer brachte
von den Früchten des Feldes.
Und auch Abel brachte von den Erstlingen
seiner Herde und von ihrem Fett.
Und der Herr sah gnädig an Abel
und sein Opfer, aber Kain und sein Opfer
sah er nicht gnädig an.
Da ergrimmte Kain sehr
und senkte finster seinen Blick.

Da sprach der Herr zu Kain:
Warum ergrimmst du?
Und warum senkst du deinen Blick?
Ist's nicht also?
Wenn du fromm bist,
so kannst du frei den Blick erheben.
Bist du aber nicht fromm,
so lauert die Sünde vor der Tür
und nach dir hat sie Verlangen;
du aber herrsche über sie.

Da sprach Kain zu seinem Bruder Abel:
Lass uns aufs Feld gehen!
Und es begab sich,
als sie auf dem Felde waren,
erhob sich Kain wider seinen Bruder Abel
und schlug ihn tot.

Da sprach der Herr zu Kain:
Wo ist dein Bruder Abel?
Er sprach: Ich weiß nicht;
soll ich meines Bruders Hüter sein?

Er aber sprach: Was hast du getan?
Die Stimme des Blutes deines Bruders
schreit zu mir von der Erde.
Und nun: Verflucht seist du auf der Erde,
die ihr Maul hat aufgetan
und deines Bruders Blut
von deinen Händen empfangen.
Wenn du den Acker bebauen wirst,
soll er dir hinfort seinen Ertrag nicht geben.
Unstet und flüchtig sollst du sein auf Erden.

Kain aber sprach zu dem Herrn:
Meine Strafe ist zu schwer,
als dass ich sie tragen könnte.
Siehe, du treibst mich heute vom Acker
und ich muss mich
vor deinem Angesicht verbergen
und muss unstet und flüchtig sein auf Erden.
So wird mir's gehen, dass mich totschlägt,
wer mich findet.

Aber der Herr sprach zu ihm:
Nein, sondern wer Kain totschlägt,
das soll siebenfältig gerächt werden.
Und der Herr machte ein Zeichen an Kain,
dass ihn niemand erschlüge, der ihn fände.

So ging Kain hinweg von dem Angesicht
des Herrn und wohnte im Lande Nod,
jenseits von Eden, gegen Osten.

1 Mose 4,1-16

Das biegsame Rohr

Der Ozean, der Herr der Flüsse, die Zufluchtstätte der Dämonen, bat immer wieder alle Ströme um Auskunft über etwas, was er nicht begriff. „Ich sehe", so sagte er, „dass ihr angefüllt seid mit vielerlei Schatten spendenden Bäumen, die ihr mit Wurzeln und Ästen herausgerissen habt. Nie aber sehe ich, dass ihr Rohr, dass ihr Rotang mit euch führt. Missachtet ihr das dünne und wertlose Rohr, das an euren Ufern wächst, oder ist es nicht bezwingbar oder hat es irgendeinen Nutzen für euch? Was ihr euch dabei denkt keinen Rotang mit euch zu führen, das möchte ich gern wissen."

Darauf gab der Fluss Gangâ dem Ozean, dem Herrn der Flüsse, folgende inhaltsschwere Antwort, die den Grund nennt und leicht fassbar ist: „Die Bäume stehen, wo sie stehen, denn sie haben nur einen Standort. Indem sie aus Dummheit Widerstand leisten, verlieren sie ihren Platz. Das Rotang-Rohr aber biegt sich, wenn es die Flutwelle herankommen sieht. Die anderen Bäume tun das nicht. Und wenn die Flutwelle vorüber ist, nimmt es seine alte Stellung wieder ein und steht hoch aufgerichtet da. Das Rotang-Rohr kennt den rechten Zeitpunkt und weiß, worauf es ankommt. Die anderen Bäume aber richten sich nicht danach. Das Rohr können wir nicht mit uns führen, weil es keinen Widerstand leistet und nicht aufrecht stehen bleibt. Alle Pflanzen, Bäume und Sträucher, die sich vor der Gewalt von Sturm und Flut biegen und danach wieder aufrichten, kommen nicht um."

aus dem Mahâbhârata

Die Tempelreinigung

Und sie kamen nach Jerusalem. Und Jesus ging in den Tempel und fing an auszutreiben die Verkäufer und Käufer im Tempel; und die Tische der Geldwechsler und die Stände der Taubenhändler stieß er um und ließ nicht zu, dass jemand etwas durch den Tempel trage.

Und er lehrte und sprach zu ihnen: Steht nicht geschrieben: „Mein Haus soll ein Bethaus heißen für alle Völker?" Ihr aber habt eine Räuberhöhle daraus gemacht.

Und es kam vor die Hohenpriester und Schriftgelehrten und sie trachteten danach, wie sie ihn umbrächten. Sie fürchteten sich nämlich vor ihm; denn alles Volk verwunderte sich über seine Lehre.

Markus 11,15-18

Miniatur aus dem 15. Jahrhundert

BLASCHO

Blascho fand keinen Sinn mehr in dem blutigen Ringelspiel. Er träumte von einem Reich des Friedens. Deshalb schoss ihm vor freudiger Begeisterung wahrhaftig das Blut in den Kopf, als sein Vater eines Tages erklärte, am folgenden Freitag werde zwischen den beiden feindlichen Stämmen, den Djuranowitschi und den Branjowitschi, seinem eigenen Stamm, eine Verhandlung stattfinden um die Blutrache zu beenden.

„Was ist denn geschehen, Vater?", fragte Blascho in atemloser Verwunderung.
„Dein Großonkel Krso ist von einem Djuranowitschi erschossen worden. Ich hätte ihn noch am selben Tag rächen können …"
„Aber du hast es nicht getan?", unterbrach Blascho den Vater.
„Nein, ich habe es nicht getan. Der Bruder des Mörders, Hazmi küsste mir den Schuh und bat um Verzeihung und um Frieden zwischen unseren Häusern."
„Und du hast Frieden gemacht!", rief Blascho freudig erregt.
„Nein, mein Sohn, das habe ich nicht. Wie kann ich für das ganze Haus Frieden schließen. Ich habe nur nachgezählt, wie viele Männer wir und die Djuranowitschi noch haben. Und ich habe festgestellt, dass unsere beiden Häuser bald ohne Stammhalter sein werden, wenn die Fehde nicht aufhört. Deshalb müssen wir auf die Rache verzichten und Frieden machen. Ob es uns passt oder nicht."

Die Verhandlung fand auf einer Wiese statt. Als Rade, Blaschos Vater, die offenen Hände beiden Seiten hinhielt und ausrief: „Wer für den Frieden ist, der stehe auf!", da sprangen viele der Versammelten gleich auf die Beine und nach und nach erhoben sich alle anderen. „So sei denn Friede!", rief Rade. Da schrie die alte Andja, die Mutter eines jüngst Erschlagenen: „Nein. Es wird kein Frieden sein, ehe mein Sohn gerächt ist!"

„Aber er ist gerächt, Mutter!", sagte ihr jüngster Sohn.
„Ist er gerächt, wenn sein Mörder noch lebt?", kreischte die Alte. „Ich kenne seinen Mörder. Dort steht er!" Sie zeigte auf einen jungen Mann im Lager der Branjowitschi. Die ganze Versammlung stand noch starr, als der Sohn Andjas blitzschnell die Pistole zog, anlegte ohne lange zu zielen, und abdrückte. Hände fuhren an die Pistolen. Kinder weinten, Frauen packten die Hände ihrer Männer um sie am Schießen zu hindern.
Ein Augenblick hätte genügt den kaum gewonnenen Frieden wieder in blutigste Fehde zu verwandeln, wenn nicht Rade abermals gebrüllt hätte: „Wer ist getroffen?"
Jetzt wurde es plötzlich still, weil jedermann auf Antwort wartete. Aber es kam keine Antwort. Da wandte Rade sich den Djuranowitschi zu und sagte: „Wäre einer der Unseren getroffen worden, so lebte auch dein jüngster Sohn nicht mehr, Andja. Willst du, dass es so weitergeht? Dein Sohn ist kein Feigling. Du hast ihm Krieg befohlen und er hat geschossen. Nun befiehl ihm Frieden. Steh auf!" Mit verschlossenem Gesicht erhob sich die alte Frau aus ihrer Kauerstellung. Ihr Mund war zusammengepresst. Sie sprach kein Wort. Aber sie stand auf. Als letzte.
Nun wiederholte Rade, „So sei denn Friede!". Dann schlug er langsam das Kreuz. Der Friede war geschlossen.

Die Familien brachen auf. Auch Rade wollte mit seiner Familie aufbrechen. Da sah Rade, dass der Knabe seine Hand auf eine Wunde hielt. Die Finger und das Leinenhemd waren blutverschmiert.
Mit rauher Stimme fragte Rade: „Warum sagst du mir erst jetzt, dass du getroffen worden bist?"
„Sonst hätte es keinen Frieden gegeben, Vater."

James Krüss

DAS GEWISSEN – STIMME DES HERZENS

Edoh Lucienne Loko (EL), 1989

Das Tier mit dem Gewissen

Nicht alles, was die kühle Vernunft bejaht, darf der Mensch auch tun. Hierzu sei eine kleine Geschichte erzählt.

Vor vielen Jahren hatte ich im zoologischen Institut junge Riesenschlangen zu pflegen, die gewohnt waren, tote Mäuse und Ratten zu fressen. Da nun Ratten leichter zu züchten sind als Mäuse, wäre es vernünftig gewesen, jene zu verfüttern, aber dann hätte ich ‚junge' Ratten totschlagen müssen. Nun haben aber junge Ratten von der Größe einer Hausmaus – mit ihrem dicken Kopf, den großen Augen, den kurzen dicken Beinchen und ihren kindlich täppischen Bewegungen – all das an sich, was junge Tiere und kleine Menschenkinder für unser Gefühl so ansprechend und rührend macht. Ich wollte also nicht recht an die Ratten heran; erst als der Mäusebestand des Institutes erheblich dezimiert war, verhärtete ich mein Herz mit der Frage, ob ich eigentlich ein experimenteller Zoologe oder eine sentimentale alte Jungfer sei, schlug sechs Rattenkinder tot und verfütterte sie an meine Pythons. Vom Standpunkt kantischer Moral war diese Tat durchaus zu verantworten. Vernunftmäßig ist es auch nicht verwerflicher, eine junge Ratte zu töten als eine alte Maus. Aber daran kehrt sich das Gefühl nicht. Ich musste es schwer büßen, seiner abratenden Stimme nicht gehorcht zu haben. Mindestens eine Woche lang, Nacht für Nacht, träumte ich von jenem Geschehen: die Rattenkinder erschienen, sie waren noch viel herziger als in Wirklichkeit, nahmen deutlich Züge menschlicher Kleinkinder an, schrien mit menschlicher Stimme und wollten einfach nicht sterben, so oft ich sie auch auf den Boden schleuderte (dies ist eine schnelle und schmerzlose Methode derartige Kleintiere zu töten). Zweifellos brachte mich die Beschädigung, die ich mir durch die Tötung jener süßen jungen Ratten zugefügt hatte, bis hart an die Grenze einer kleinen Neurose. Dergestalt belehrt, schämte ich mich nie wieder, sentimental zu sein und gefühlsmäßigen Hemmungen zu gehorchen.

Diese tief im Emotionalen wurzelnde Form der Reue hat auch Entsprechungen im Seelenleben hochentwickelter sozialer Tiere. Zu diesem Schlusse zwingt ein Verhalten, das ich mehrmals an Hunden beobachtet habe.
Es war für meinen Bully ein harter Schlag, als ich meinen hannoveraner Schweißhund heimbrachte. Hätte ich Bullys Eifersucht vorausgesehen, dann hätte ich den schönen Hirschmann doch nicht heimgebracht. Tagelang währte die Atmosphäre verhaltenen Grimmes, ehe sich die Spannung in einem der erbittertsten Hundekämpfe entlud, die ich je erlebt habe. Als ich die Kämpfer trennen wollte, geschah es, dass mich Bully versehentlich in den Kleinfingerballen meiner rechten Hand biss. Der Kampf war damit zwar zu Ende, Bully aber vom schwersten Nervenschock befallen, den es für einen Hund überhaupt geben kann: er brach buchstäblich zusammen. Denn obgleich ich ihm nicht die geringsten Vorwürfe machte, sondern ihn sofort streichelte und ihm freundlich zusprach, lag er wie gelähmt auf dem Teppich, unfähig sich zu erheben. Er zitterte wie im Schüttelfrost. Seine Atmung war ganz oberflächlich, von Zeit zu Zeit nur drang ein tiefer, stoßender Seufzer aus seiner gequälten Brust, aus seinen Augen kullerten dicke Tränen. Ich musste Bully an jenem Tage in meinen Armen zur Straße hinunter tragen.
Es dauerte mehrere Tage bis er wieder fraß und selbst dann nahm er Futter nur nach langem Zureden und nur aus meiner Hand. Wochen nachher noch verharrte er vor mir in übertriebender Demutstellung, die von dem sonstigen Verhalten des eigenwilligen und wenig botmäßigen Hundes traurig abstach. Sein schlechtes Gewissen rührte mich.

Konrad Lorenz

Christian Rohlfs, 1933

Im Supermarkt

Heute ist es selbstverständlich, dass Verpackungsmüll wieder zurückgenommen wird. Die folgende Geschichte einer Gruppe Jugendlicher zeigt, welche Aktionen dazu beigetragen haben.

„28, 54", sagte die Verkäuferin zu Elenor und riss den Kassenbon ab. „Hast du vielleicht vier Pfennige klein?"

„Mal gucken", sagte Elenor und beugte sich über ihre Geldbörse. Wer sie nicht kannte, merkte vielleicht gar nicht, wie anders ihre Stimme klang. „Aber ich wollte gerne – also, da ist so viel Verpackungsmüll um die Waren drumrum, den würde ich gerne gleich hier lassen", und nachdem sie die vier Pfennige auf das Geldtablett gelegt hatte, fing sie eilig an, die Folie von einem Zehnerpack Klopapier zu reißen. „Und das hier gleich auch noch", und sie legte der Verkäuferin nun auch noch Pappe und Folie hin, die sie von einer durchscheinend grünen Zahnbürste abgepult hatte. ...

„Das geht doch nicht, Mädchen, was macht ihr denn!", sagte sie endlich. Elenor legte ihr gerade die Tetrabricks sorgfältig platt gedrückt aufs Laufband. „Ihr könnt mir doch den ganzen Müll nicht einfach hier lassen!"

„Den wollte ich aber gar nicht kaufen!", sagte Elenor unschuldig. „Ich wollte Milch und Klopapier und zwei Zahnbrüsten, der ganze Kram drumrum verstopft nur unsere Mülltonne."

„Aber die Verpackung gehört dazu!", sagte die Verkäuferin. „Nimm das da mal weg! Du siehst doch, ich hab noch Kundschaft!"

Elenor guckte sich um und sah in die Schlange hinter sich. Da waren eine Menge bekannter Gesichter.

„Das ist doch nicht meine Schuld, dass es die Sachen nicht unverpackt gibt!", sagte sie. „Ich jedenfalls will nicht mit schuld sein, wenn durch die Produktion von immer mehr Müll die Erde langsam ..."

„Nun reicht es aber, Mädchen!", sagte ein dicker Mann, der in der Schlange zwei Plätze hinter ihr stand. Er hatte nur ein Paket Hundefutter in der Hand. „Das ist doch hier kein Kasperltheater! Entweder, du packst jetzt ein oder ich hole den Geschäftsführer!"

Elenor sah ein bisschen erschrocken aus. „Bitte, bitte, bitte", murmelte sie und packte die Folien in ihren Einkaufswagen. Sie nahmen fast so viel Platz weg wie die Einkäufe. In der Schlange hinter ihr lachten zwei Frauen. Sie sahen eigentlich ganz freundlich aus.

Eine Mutter mit zwei kleinen Kindern bezahlte ihren Großeinkauf und Elli ging an uns vorbei aus dem Laden. Dabei kniff sie ein Auge zu.

„Pack ein", sagte sie daher auch nur zu Jasmin, als sie aus unserem Korb Stück für Stück die Verpackung lud. „Du weißt, was sonst passiert."

Jasmin lächelte freundlich. Der ständige Umgang mit einem streitsüchtigen Zwilling stärkt sicher die Nerven.

„Ich würde gern den Geschäftsführer sprechen", sagte sie. „Gleiches Recht für alle. Ich sehe nicht ein, warum wir anders behandelt werden sollten als alle anderen vor uns." ...

Wahrscheinlich hatte Herr Schröder uns von seinem Kabäuschen aus sowieso die ganze Zeit beobachtet; jedenfalls stand er neben uns, bevor die Kassiererin überhaupt die Gegensprechanlage hatte bedienen können.

„Ihr habt gehört, was ich ...!", sagte er wütend. In seiner Wut schwang fast ein Unterton von Verzweiflung mit. Ich dachte, wie leicht es eigentlich war, alles durcheinander zu bringen; und noch dazu für einen guten Zweck.

„Jetzt ist Schluss!", sagte Herr Schröder und griff nach der Flasche.

Jasmin überließ sie ihm gerne. „Danke schön", sagte sie höflich. „Und das hier

Wolf Vostell, 1978/79

bitte auch noch. Streng genommen gibt es nämlich gar keinen Sondermüll, wissen Sie. Jeder Müll ist Sondermüll. Wenn Sie sich mal überlegen, wie viele Schadstoffe allein bei der Verbrennung dieser harmlosen Pappschachteln anfallen!" Und sie hielt sie ihm hilfreich entgegen.

Herr Schröder hatte die leere Geschirrspülmittelflasche noch immer hilflos in der Hand, als der Streifenwagen hielt. „Das wurde auch Zeit!", sagte er. Dann ging er den Beamten entgegen. Die Flasche presste er wie ein kostbares Beutestück gegen die Brust.
Es waren zwei Polizisten, ein älterer und ein jüngerer, und sie ließen sich von Herrn Schröder in aller Ruhe den Tathergang schildern. Die junge Frau, die sonst manchmal an der Leergutannahme stand, eröffnete eine zweite Kasse und die Schlange hinter uns wanderte zu ihr ab. Aber die meisten sahen weiter gespannt zu uns hin.

Ich hatte mit Ärger gerechnet als ich, anstatt zu üben, einfach zu dieser Aktion gegangen war, aber ganz sicher nicht damit, von der Polizei aufgeschrieben zu werden. Was konnte daraus noch alles werden! ...
„Höchstens Hausfriedensbruch", sagte der ältere Polizist jetzt gerade. „Oder Erregung öffentlichen Ärgernisses. Aber beides erscheint mir doch strittig, wenn Sie mich fragen, sehr strittig", und er lächelte zu uns herüber. Ein Auge kniff er nicht zu.
„Aber das ist doch ein abgekartetes Spiel, Raimund, das ist doch vollkommen klar", sagte der Jüngere böse. „Diese kleinen Weltverbesserer hier ..."
„Langsam, langsam, langsam", sagte der Ältere wieder bedächtig. ... „Dies ist ein öffentlicher Supermarkt. Da steht es dem Kunden natürlich frei, um dies oder das zu bitten. Erst wenn er renitent wird, wenn seiner Bitte nicht entsprochen wurde – sind die Beschuldigten renitent geworden, Herr Geschäftsführer?"
„Renitent?", fragte Herr Schröder. „Sie haben auf jeden Fall ..."

„Und ihr lasst den Zirkus jetzt mal", sagte der ältere Polizist freundlich zu uns. „Hat doch gereicht, oder nicht? Nun packt ihr den Müll da ein und dann seid mal zufrieden ..."

„Presse!", rief eine Frau mit Fotoapparat, die in diesem Moment durch die Schiebetür sprang. Sie hatte eins der verwegensten Make-ups, die mir je begegnet waren. „Ich komm doch nicht schon zu spät?" Und sie zog eine Karte aus der Tasche, die sie als Vertreterin der Lokalredaktion unserer regionalen Tageszeitung auswies.
„Dann können wir ja wohl gehen", sagte Raimund, der Polizist.
Aber damit war die Pressevertreterin nicht zufrieden. Sie bat um ein paar kleine Fotos mit den Damen an der Kasse und die Damen, das waren wir. Dann setzte sie die Kassiererin in Positur, häufte den Verpackungsmüll sorgfältig aufs Laufband und stellte Jasmin und mich daneben. „Hergucken!", sagte sie. Dann ging der Blitz ab.
...
Hinterher in der Eisdiele schätzte Elenor die Aktion als äußerst erfolgreich ein.
„Sogar die Bullerei!", sagte sie euphorisch. „O Mann! Wer hätte das je zu hoffen gewagt!"
„Aber wieso war denn die von der Zeitung plötzlich da?", fragte Jasmin. „Konnte die hellsehen?"
„Nun ratet mal, people", sagte Elenor. „Ich tippe auf André. Der redet doch schon die ganze Zeit von Publicity."
„Und warum sollte der so was machen?", fragte Insa verblüfft. „Wo er doch so gegen die ganze Sache ist?"
„Um uns zu beweisen, was für ein Crack er ist!", sagte Akki. ...
„Ist doch egal, warum einer mitmacht", sagte Elenor und guckte strafend zu mir herüber. „Hauptsache, er macht mit."
Ich war mir nicht ganz sicher, ob ich das auch fand.

Kirsten Boie

Paul Klee, 1937

Das wiedergefundene Licht

Am dritten Mai ging ich morgens wie gewöhnlich in die Schule, die Grundschule jenes Teils von Paris, in dem meine Eltern wohnten, in der Rue Cler. Gegen zehn Uhr sprang ich wie alle Kameraden auf, um zur Klassentüre und in den Schulhof hinauszustürmen. Im Gedränge um die Türe holte mich ein Junge, der vom anderen Ende des Klassenzimmers kam und wohl älter oder auch eiliger war als ich, ein und rempelte mich versehentlich von hinten an. Ich hatte ihn nicht kommen sehen und in meiner Überraschung verlor ich das Gleichgewicht. Ich fand keinen Halt mehr, glitt aus – und fiel gegen eine der scharfen Kanten des Lehrerpults.

Wegen der Kurzsichtigkeit, die man bei mir festgestellt hatte, trug ich zu jener Zeit eine Brille aus unzerbrechlichen Gläsern. Eben diese Vorsichtsmaßnahme wurde mir zum Verhängnis. Die Gläser zerbrachen tatsächlich nicht, aber der Stoß war so heftig, dass ein Brillenarm tief in das rechte Auge eindrang und es herausriss.

Natürlich verlor ich das Bewusstsein, doch nur für kurze Zeit. ... Man legte mir einen Verband an und brachte mich – ich fieberte am ganzen Körper – nach Hause. Mehr als vierundzwanzig Stunden lang war hier alles für mich dunkel. Ich erfuhr später, dass der ausgezeichnete Augenarzt, den meine Eltern sofort an mein Lager holten, erklärte, das rechte Auge sei verloren und müsse entfernt werden. Man solle den Eingriff so schnell wie möglich vornehmen. Was das linke Auge angehe, so sei ohne Zweifel auch dieses verloren, weil die Heftigkeit des Stoßes hier eine ‚Sympathische Ophtalmie' hervorgerufen habe. Auf alle Fälle sei die ‚Retina' des linken Auges an mehreren Stellen zerrissen. Am nächsten Morgen operierte man mich mit Erfolg. Ich war endgültig blind geworden. ...

Meine Blindheit war für mich eine große Überraschung, glich sie doch in keiner Weise meinen Vorstellungen von ihr; auch nicht den Vorstellungen, welche die Menschen um mich herum von ihr zu haben schienen. Sie sagten mir, Blindsein bedeute Nichtsehen. Aber wie konnte ich ihnen Glauben schenken, da ich doch sah? Nicht sofort, das gebe ich zu. Nicht in jenen Tagen, die unmittelbar auf die Operation folgten. Denn damals wollte ich noch meine Augen gebrauchen, mich von ihnen leiten lassen. Ich blickte in die Richtung, in die ich vor dem Unfall zu blicken pflegte, von dort aber kam nur Schmerz, Empfinden des Mangels, etwas wie Leere. Von dort kam das, was die Erwachsenen, glaube ich, die Verzweiflung nennen.

Eines Tages jedoch (und dieser Tag kam ziemlich rasch) merkte ich, dass ich ganz einfach falsch sah, dass ich einen Fehler machte wie einer, der die Brille wechselt, weil sich sein Auge den Gläsern nicht anpassen wollte. Ich blickte zu sehr in die Ferne und vor allem zu sehr auf die Oberfläche der Dinge. ...

Ein Instinkt – ich möchte fast sagen: eine Hand, die sich auf mich legte – hat mich damals die Richtung wechseln lassen. Ich begann, mehr aus der Nähe zu schauen: aber nicht an die Dinge ging ich näher heran, sondern an mich selbst. Anstatt mich hartnäckig an die Bewegung des Auges, das nach außen blickte, zu klammern, schaute ich nunmehr von innen auf mein Inneres.

Unversehens verdichtete sich die Substanz des Universums wieder, nahm aufs Neue Gestalt an und belebte sich wieder. Ich sah, wie von einer Stelle, die ich nicht kannte und die ebenso gut außerhalb meiner wie in mir liegen mochte, eine Ausstrahlung ausging, oder genauer: ein Licht – das Licht. Das Licht war da, das stand fest.

Ich fühlte eine unsagbare Erleichterung, eine solche Freude, dass ich darüber lachen musste. Zuversicht und Dankbarkeit erfüll-

Odilon Redon, 1885

ten mich, als ob ein Gebet erhört worden wäre. Ich entdeckte das Licht und die Freude im selben Augenblick und ohne zu bedenken kann ich sagen, dass sich Licht und Freude in meinem Erleben seither niemals mehr voneinander getrennt haben: zusammen besaß oder verlor ich sie.

Ein solch beständiges und intensives Licht überstieg meine Begriffe in einem Maße, dass ich manchmal an ihm zweifelte. Wie, wenn es nun gar nicht Wirklichkeit war? Wenn ich es mir nur eingebildet hatte? Dann genügte es vielleicht, sich das Gegenteil oder einfach etwas anderes vorzustellen, um es mit einem Schlag zu vertreiben. So kam ich auf die Idee, es auf die Probe zu stellen, ja, ihm Widerstand zu leisten. ... Da raffte ich all meine Energie, all meinen Willen zusammen und versuchte, den Strom des Lichts aufzuhalten, so wie man versucht, den Atem anzuhalten.
Sogleich entstand eine Trübung, oder besser: ein Strudel. Aber auch dieser Strudel war in Licht getaucht. So sehr ich mich mühte, ich konnte diese Anstrengung nicht sehr lange aushalten, vielleicht zwei oder drei Sekunden. Gleichzeitig empfand ich eine Angst, als ob ich eben etwas Verbotenes täte, etwas, das gegen das Leben gerichtet war. Es war, als ob ich zum Leben das Licht ebenso brauchte wie die Luft. Es gab keine Flucht mehr: Ich war der Gefangene dieser Strahlen, ich war zum Sehen verdammt. ...

Dennoch gab es Zeiten, in denen das Licht nachließ, ja fast verschwand. Das war immer dann der Fall, wenn ich Angst hatte. Wenn ich, anstatt mich von Vertrauen tragen zu lassen und mich durch die Dinge hindurch zu stürzen, zögerte, prüfte, wenn ich an die Wand dachte, an die halb geöffnete Türe, ... dann stieß oder verletzte ich mich bestimmt. Die einzige Art, mich im Haus, im Garten oder am Strand leicht fortzubewegen, war, gar nicht oder möglichst wenig daran zu denken. Dann wurde ich geführt, dann ging ich meinen Weg, vorbei an allen Hindernissen, so sicher, wie man es den Fledermäusen nachsagt. Was der Verlust meiner Augen nicht hatte bewirken können, bewirkte die Angst: Sie machte mich blind.

Dieselbe Wirkung hatten Zorn und Ungeduld, sie brachten alles in Verwirrung. Eine Minute zuvor kannte ich noch genau den Platz, den alle Gegenstände im Zimmer einnahmen, doch wenn mich der Zorn überkam, zürnten die Dinge mehr noch als ich; sie verkrochen sich in ganz unerwartete Winkel, verwirrten sich, kippten um, lallten wie Verrückte und blickten wild um sich. Ich aber wusste nicht mehr, worauf meine Hand legen, meinen Fuß setzen, überall tat ich mir weh. Dieser Mechanismus funktionierte so gut, dass ich vorsichtig wurde.
Wenn mich beim Spiel mit meinen kleinen Kameraden plötzlich die Lust ankam zu gewinnen, um jeden Preis als erster ans Ziel zu gelangen, dann sah ich mit einem Schlag nichts mehr. Ich wurde buchstäblich von Nebel, von Rauch umhüllt.

Die schlimmsten Folgen aber hatte die Boshaftigkeit. Ich konnte es mir nicht mehr leisten, missgünstig und gereizt zu sein, denn sofort legte sich eine Binde über meine Augen, ich war gefesselt, geknebelt, außer Gefecht gesetzt; augenblicklich tat sich um mich ein schwarzes Loch auf und ich war hilflos. Wenn ich dagegen glücklich und friedlich war, wenn ich den Menschen Vertrauen entgegenbrachte und von ihnen Gutes dachte, dann wurde ich mit Licht belohnt. Ist es verwunderlich, dass ich schon früh die Freundschaft und Harmonie liebte? Was brauchte ich einen Moralkodex, wo ich doch in mir ein solches Instrument besaß, das ‚Rotlicht‘ und ‚Grünlicht‘ gab: Ich wusste immer, wo man gehen durfte und wo nicht. Ich hatte nur auf das große Lichtsignal zu sehen, das mich lehrte zu leben.

Jaques Lusseyran
(Fortsetzung S. 165 – Kapitel ‚Wunder‘)

Mausche ist ein grosser Erzieher für mich geworden

Einen großen Eindruck machte mir die erste Visitation des Schulinspektors, und zwar nicht nur deswegen, weil die Lehrerin vor Aufregung mit den Händen zitterte, als sie ihm das Klassenbuch reichte und der Vater Iltis, der sonst so streng aussah, in einem fort lächelte und sich verbeugte. Nein, was mich so bewegte, war, dass ich zum ersten Male einen Mann von Angesicht sah, der ein Buch geschrieben hatte. Sein Name – er hieß Steinert – war es, der auf dem grünen Lesebuch der Mittelstufe und auf dem gelben Lesebuch der Oberstufe stand. Und nun hatte ich den Schreiber dieser zwei Bücher, die für mich gleich nach der Bibel kamen, leibhaftig vor mir. Sein Aussehen war nicht imposant. Er war klein, hatte einen Kahlkopf, eine rote Nase, ein dickliches Bäuchlein und stak in einem grauen Anzug. Für mich aber war er von einem Glorienschein umflossen, denn er war eben der Mann, der ein Buch geschrieben hatte. Es schien mir unfasslich, dass die Lehrerin und der Lehrer mit ihm wie mit einem gewöhnlichen Menschen redeten.

Auf das erste Zusammentreffen mit einem Bücherschreiber folgte bald ein zweites, noch größeres Erlebnis. Eine Jude aus einem Nachbardorfe, Mausche genannt, der Vieh- und Länderhandel trieb, kam mit seinem Eselskarren zuweilen durch Günsbach. Da bei uns damals keine Juden wohnten, war dies jedes Mal ein Ereignis für die Dorfjungen. Sie liefen ihm nach und verspotteten ihn. Um zu bekunden, dass ich anfing mich als erwachsen zu fühlen, konnte ich nicht anders, als eines Tages auch mitzumachen, obwohl ich eigentlich nicht verstand, was das sollte. So lief ich mit den anderen hinter ihm und seinem Esel her und schrie wie sie „Mausche! Mausche!". Die mutigsten falteten den Zipfel ihrer Schürze oder ihrer Jacke zu einem Schweinsohr zusammen und sprangen damit bis nahe an ihn heran. So verfolgten wir ihn vors Dorf hinaus bis an die Brücke. Mausche aber, mit seinen Sommersprossen und dem grauen Bart, ging so gelassen fürbass wie sein Esel. Nur manchmal drehte er sich um und lächelte verlegen und gütig zu uns zurück. Dieses Lächeln überwältigte mich. Von Mausche habe ich zum ersten Male gelernt, was es heißt, in Verfolgung stille schweigen. Er ist ein großer Erzieher für mich geworden. Von da an grüßte ich ihn ehrerbietig. Später, als Gymnasiast, nahm ich die Gewohnheit an, ihm die Hand zu geben und ein Stückchen Wegs mit ihm zu gehen. Aber nie hat er erfahren, was er für mich bedeutete. Es ging das Gerücht, er sei ein Wucherer und Güterzerstückler. Ich habe es nie nachgeprüft. Für mich ist er der Mausche mit dem verzeihenden Lächeln geblieben, der mich noch heute zur Geduld zwingt, wo ich zürnen und toben möchte.

Albert Schweitzer

ICH DARF
ANDERS WERDEN

Heinrich Nicolaus, 1985

MIT JONA UNTERWEGS

„Wir sind eben keine Babys mehr"

Früher habe ich meine Familie bei weitem nicht so aufmerksam beobachtet. Früher spielte ich einfach mit meinem Baukasten unter dem Tisch und aufgrund der dort vorhandenen Beine wusste ich, dass alle, die sich um mich zu kümmern hatten, zu Hause waren. Mein Vater schien mir irgendwie größer als heute, meine Mutter war jederzeit bereit, mit mir zu schmusen, ja sogar meine Schwester Lenka war so fröhlich und hübsch wie Terezka von nebenan. Jetzt aber, wo ich genauer hinschaue, finde ich: Sie sind alle drei anders geworden. Manchmal fürchte ich, dass ich nach Hause komme und dort drei mir völlig unbekannte Personen vorfinde, die behaupten, sie seien mein Vater, meine Mutter und meine Schwester.

„Ach wo, Karlík", sagte jüngst mein Uropa, „die sind nicht anders geworden, sondern du bist älter geworden."

Was der Urgroßvater damit sagen wollte, habe ich zunächst nicht begriffen, erst mein schlauer Kumpel Jarda hat mich aufgeklärt: „Mensch, wir sind eben keine Babys mehr, verstehst du? Wir lassen uns nicht mehr für dumm verkaufen, wir sehen, was wirklich läuft." ...

Manchmal, ja sogar meistens, kenne ich mich mit meiner Mutter nicht aus. Ist sie gut gelaunt oder böse, nett oder streng, schön oder hässlich? Früher, als ich noch ihr liebster Karlík war, stellte ich mir solche Fragen nie, aber jetzt ist sie tatsächlich für mich nicht nur meine Mutter, sondern auch eine fremde Frau, die ich mit anderen Augen betrachte; ich sagte das schon mal, glaube ich. Ich schäme mich sogar deswegen. Wenn mich solche Gedanken überfallen, versucht Uropa mich gelegentlich zu trösten, aber so richtig gelingt es ihm nie, meine Gedanken halten mich fest im Griff. Das Ganze muss wirklich irgendwie mit dem Großwerden zu tun haben.

Schade, dass das Großwerden nicht etwas wie Mumps sein kann – man hätte zwei Wochen lang seinen Ärger damit, man würde ein paar bittere Pillen schlucken und das wäre es dann. Alle könnten sich richtig freuen, dass ich so schnell erwachsen geworden bin. Aber wie ich das Leben kenne, wird sich die Sache elend in die Länge ziehen.

Sheila Och

Rita Lundqvist, 1987

Cilla und Tina

Cilla findet, dass Sandra mit ihrer neuen Frisur, die den Nacken frei lässt, hübsch aussieht und dass Sussy geradezu atemberaubend schön ist. Ist man dann lesbisch?, fragt sie ihr Tagebuch. Im Tagebuch steht auch, dass sie es gewagt hat, mit Monika, ihrer Mama, über diese Sache zu reden. So und so empfinde ich; und im Fernsehen haben sie gesagt; und Tina behauptet; aber ich kann Fredde Lindgren auch ganz gut leiden; und …

Bei dieser Gelegenheit war Monika in Ordnung. Sie wedelte nichts weg, meinte nur, dass Gefühle, Liebe und Freundschaft in diesem Alter so verworren und in sämtliche Richtungen verteilt seien, dass man sich gewiss keine Sorgen zu machen brauche. Wenn du dich umschaust, siehst du, dass die Mädchen gern eng umschlungen gehen und dass die Jungs lieber aneinander kleben als an den Mädchen. Sussy ist tatsächlich sehr schön, das darf man ruhig feststellen, daran ist nichts Schlechtes. Und es stimmt auch, dass einem die Luft wegbleibt, wenn etwas sehr Schönes direkt vor einem auftaucht, egal, ob es ein Mädchen oder ein Junge ist, eine Landschaft oder ein Gemälde … Das beweist nur, dass du ein Gefühl für die Schönheit hast und dessen brauchst du dich nicht zu schämen.

„Aber Tina behauptet …", begann Cilla wieder.

„Tina weiß nicht mehr darüber als du", tröstete sie Monika. „Tina will dich nur ärgern, wahrscheinlich ist sie nur neidisch, weil Fredde schon so lange mit dir zusammen ist, während bei ihr ein Verehrer den anderen ablöst."

„Na, zusammen sind wir ja nicht gerade", verteidigte Cilla sich sofort. „Jungs sind so wahnsinnig unreif, so oberflächlich, das finde ich am schlimmsten!"

„Scheint aber trotzdem ganz gut zu klappen", meinte Monika.

Cilla zuckte die Achseln. Alles konnte man eben doch nicht mit seiner Mutter besprechen. Es hatte keinen Sinn zu erklären, dass man so tun musste, als wäre man ein klein wenig verknallt, wenn jemand wie Fredde kam und sich um einen bemühte, ganz gleich, was man von ihm hielt. Sonst saß man schließlich da und hatte überhaupt niemanden. Und dann könnte Tina wirklich etwas sagen. Du bist ja doch eine Lesbe, gib's zu!

Aber es ist anstrengend, dass Jungs so unreif sind, so wenig Tiefgang haben und sich für nichts Sinnvolles interessieren. Mit Mädchen kann man sich über wichtige Dinge unterhalten und einer Sache auf den Grund gehen. Nicht mit allen, aber immerhin mit ein paar. Mit den Jungs ist das völlig unmöglich. Die umgeben sich mit einer Schale aus aufgemotzter Sprücheklopferei, die man einfach nicht durchdringen kann. Wenn ein Mädchen da irgendwie dazugehören will, muss sie hübsch und sexy sein. Ihre Gedanken und Träume sind uninteressant.

Peter Pohl / Kinna Gieth

Gaston Cheissac, 1945/46

Ich kann das doch gar nicht

Wer ich bin?
Jona nannten mich meine Eltern, das heißt „Taube".
Mir gefällt mein Name.
Er erinnert mich an Frieden und an Fliegen-können.
Und Fliegen-können möchte ich im Augenblick ganz besonders gern.
Weit weg fliegen können! Wäre das schön!
Nachts wälze ich mich im Bett hin und her.
Ich kann schon nicht mehr richtig schlafen.
Ich bin nämlich in einer verzwickten Situation.

Ich soll nach Ninive gehen und der verderbten Stadt Buße predigen.
Ausgerechnet ich!
Es macht mir Angst, wenn ich daran denke.
Werden mir die Leute überhaupt zuhören?
Werde ich die richtigen Worte finden?
Ich bin kein wortgewaltiger Redner.
Wie werden die Menschen reagieren?
Vielleicht gehen sie auf mich los und misshandeln mich.
Warum gerade ich?
Ich kann das doch gar nicht.
Was soll ich nur tun?

Wo könnte ich mich verstecken?

Jona wollte vor dem HERRN fliehen und ging ans Meer nach Jafo. Dort fand er ein Schiff, das nach Tarsis fahren wollte. Er bezahlte die Überfahrt und bestieg das Schiff, um mit ihnen nach Tarsis zu fahren und so dem Herrn aus den Augen zu bekommen.

Da ließ der HERR einen großen Sturm aufkommen. Auf dem Meer tobte ein solch gewaltiges Unwetter, dass man meinte, das Schiff würde zerbrechen. Die Seeleute fürchteten sich und ein jeder rief seinen Gott an. Die Schiffsladung warfen sie ins Meer, damit das Schiff leichter würde.

Jona aber schlief unten im Schiff. Da trat der Kapitän zu ihm und sagte: „Wieso schläfst du? Steh auf und rufe deinen Gott an! Vielleicht kann dieser Gott uns helfen, damit wir nicht umkommen!" Da machte einer den Vorschlag: „Lasst uns das Los werfen, damit wir erfahren, wer daran schuld ist, dass es uns so übel geht!" Sie losten und es traf Jona.

Da fragten sie ihn: „Nun sage uns: Was bist du von Beruf? Wo kommst du her? Aus welchem Land bist du? Von welchem Volk?"

Jona antwortete: „Ich bin Hebräer und ich verehre den HERRN, den Gott des Himmels, der das Meer und das Trockene gemacht hat." Und er erzählte ihnen, dass er vor dem HERRN floh.

Da fürchteten sich die Leute sehr und fragten ihn: „Warum hast du das getan? Was sollen wir denn mit dir machen, damit das Meer still wird und von uns ablässt?" Denn das Meer ging immer ungestümer! Da antwortete Jona: „Nehmt mich und werft mich ins Meer, dann wird das Meer still werden und von euch ablassen. Ich weiß ja, dass das Unwetter nur meinetwegen über euch gekommen ist!"

Aber die Leute ruderten, um wieder ans Land zu kommen, doch sie schafften es nicht; das Meer tobte immer ungestümer gegen sie. Da riefen sie den Herrn an: „Ach HERR, lass uns wegen dieses Mannes nicht umkommen – wir sind doch unschuldig – denn du, HERR, tust, wie's dir gefällt! Und dann ergriffen sie Jona und warfen ihn ins Meer. Da wurde das Meer still und hörte auf zu wüten.

nach Jona 1

Jonas Gebet im Bauch des Fisches

Aber der HERR ließ einen großen Fisch kommen, um Jona zu verschlingen. Im Leib dieses Fisches war Jona drei Tage und drei Nächte, und er betete zum HERRN, seinem Gott, im Leib des Fisches:

„Ich rief zu dem HERRN in meiner Angst und er antwortete mir.
Ich schrie aus dem Rachen des Todes und du hörtest meine Stimme.

Du warfest mich in die Tiefe, mitten ins Meer, dass die Fluten mich umgaben.
Alle deine Wogen und Wellen gingen über mich, dass ich dachte,
ich wäre von deinen Augen verstoßen, ich würde deinen heiligen Tempel nicht mehr sehen.

Wasser umgaben mich und gingen mir ans Leben, die Tiefe umringte mich,
Schilf bedeckte mein Haupt.

Ich sank hinunter zu der Berge Gründen, der Erde Riegel schlossen sich hinter mir.

Aber du hast mein Leben aus dem Verderben geführt, HERR, mein Gott!"

Da sprach der HERR zu dem Fisch und der Fisch spuckte Jona an Land.

Jona 2,1-7 u. 11

Christian Ludwig Attersee, 1985

Jonas Unmut und Gottes Antwort

Als Jona sah, dass nichts geschah, ärgerte ihn das sehr und er betete zum HERRN:

„Ach HERRN, genauso habe ich mir das gedacht, als ich noch zu Hause war! Deshalb wollte ich auch nach Tarsis fliehen, denn ich wusste es doch: Du bist gnädig, barmherzig, langmütig und von großer Güte; du kündigst Böses an und führst es aber doch nicht aus! Nimm doch meine Seele von mir; ich möchte lieber tot sein als leben!"

Aber der HERR erwiderte: „Meinst du, du hättest ein Recht, so wütend zu sein?" Jona war nämlich zur Stadt herausgegangen; östlich davon hatte er eine Hütte gebaut und sich darunter in den Schatten gesetzt. Er wollte sehen, was mit der Stadt geschehen würde.

Nun ließ Gott der HERR eine Staude wachsen, die wuchs über Jona und gab ihm Schatten. Das sollte ihm in seinem Ärger helfen. Über diese Staude freute sich Jona sehr. Aber als die Morgenröte anbrach, ließ der HERR einen Wurm ankommen. Der stach die Staude und sie verdorrte.

Als die Sonne aufgegangen war, ließ Gott einen heißen Ostwind kommen. Die Sonne stach Jona auf den Kopf. Er wurde matt und wünschte sich wieder den Tod: „Ich möchte lieber tot sein als leben!" Da fragte Gott den Jona: „Meinst du, du hättest ein Recht, wegen der Staude wütend zu sein?" Jona antwortete: „Ich habe ein Recht, bis an den Tod wütend zu sein!"

Da sprach der HERR: „Du bedauerst die Staude, um die du dich nicht bemüht hast! Du hast sie auch nicht großgezogen! Und ich sollte Ninive nicht bedauern, diese große Stadt, in der mehr als hundertzwanzigtausend Menschen sind und dazu noch viele Tiere!"

nach Jona 4

Mimmo Paladino, 1984

PROPHETEN

Egon Schiele, 1911

Nabots Weinberg

König Ahab besaß in der Stadt Jesreel einen Palast, in dem er im Sommer mit seiner Familie wohnte. Neben dem Palast lag ein Weinberg. Er gehörte einem Mann namens Nabot.

Eines Tages ging Ahab zu Nabot und sagte: „Ich möchte mir einen Gemüsegarten anlegen. Dein Weinberg würde sich gut dafür eignen! Du bekommst von mir ein anderes Stück Land. Ich kann dir auch Geld dafür bezahlen."
Aber Nabot wollte den Weinberg nicht weggeben. „Er gehört seit alter Zeit unserer Familie", sagte er zum König. „Ich würde mich nie davon trennen."

Zornig ging Ahab in seinen Palast zurück. Missmutig legte er sich auf sein Bett. Die Diener hatten den Tisch gedeckt. Aber Ahab rührte das Essen nicht an.
„Was ist mit dir los?", fragte Isebel.
„Nabot will mir den Weinberg nicht geben", antwortete Ahab.
„Wer ist eigentlich König im Land? Du oder Nabot?", fragte Isebel.
„Ich werde schon dafür sorgen, dass du den Weinberg bekommst. Steh auf und iss!"
Isebel schrieb Briefe an den Bürgermeister und die Gemeinderäte der Stadt Jesreel. Darin stand: „Lasst die Männer der Stadt zusammenkommen! Gebt zwei Männern Geld, damit sie Schlechtes über Nabot reden. Sie sollen sagen: Nabot hat Gott und den König verflucht! Dann verurteilt Nabot zum Tod!"

Der Bürgermeister und die Gemeinderäte taten alles genau so, wie Isebel es befohlen hatte. Sie ließen die Männer aus der Stadt Jesreel zusammenkommen. Zwei nichtsnutzige Kerle verklagten Nabot. Sie sagten: „Nabot hat Gott und den König verflucht!" Sogleich stieß ihn die Menge zur Stadt hinaus und schleuderte so lange Steine auf ihn, bis er tot war. Als die Männer wieder in die Stadt gegangen waren, kamen streunende Hunde und leckten das Blut Nabots vom Boden auf.
Da sagte Isebel zu Ahab: „Der Mann, der dir seinen Weinberg nicht verkaufen wollte, ist tot. Jetzt gehört der Weinberg dir!"

Ahab ging in den Weinberg. Da trat der Prophet Elija auf ihn zu. „Sieh mal an!", rief Ahab. „Da kommt mein Feind! Was schnüffelst du mir nach?"
„Ich komme zu dir", antwortete Elija, „weil du ein Mörder und ein Räuber bist. Zuerst hast du Nabot umbringen lassen. Und jetzt stiehlst du seinen Weinberg. Darum spricht Gott: Dort, wo die Hunde Nabots Blut aufgeleckt haben, werden sie auch Blut aus deiner Familie auflecken. Ich werde dich und deine Familie ins Unglück stürzen."

Da bekam Ahab Angst. Entsetzt zerriss er sein Kleid. Er zog ein Gewand aus grobem Sacktuch hervor. Sogar zum Schlafen behielt er es an. Er aß nichts mehr und war ganz niedergeschlagen. Da sprach Gott zu Elija: „Weil Ahab sein Unrecht bereut, wird er noch König bleiben. Aber seine Familie wird nicht mehr lange über Israel regieren."

Werner Laubi

ELIJA

Es war eine große Dürre in Israel. Der erwartete Regen war ausgeblieben und die Saat war auf den Feldern verdorrt. Das hieß für viele Menschen Hunger, Armut und Tod. Doch wer war schuld an der Trockenheit? War es der Fruchtbarkeitsgott Baal, der hier im Land schon immer für Regen und Nahrung gesorgt hatte oder war es der Gott Israels, der sein Volk nach langer Nomadenzeit in dieses Land geführt hatte? …

König Ahab war so unentschieden wie das Volk. Diese Haltung hatte der Prophet Elija verspottet: „Wollt ihr auf zwei Beinen gleichzeitig hinken? Das kann kein Mensch, aber ihr versucht es immer wieder, indem ihr es mit euren Gebeten und Opfern ständig mit beiden versucht, mit dem Götzen Baal und mit dem lebendigen Gott Israels!" Und da kam Elija der Gedanke mit der Probe. Gott sollte selbst entscheiden. Er sollte es allen zeigen, dass er der wahre Gott ist und dass auch der Regen sein Geschenk an die Menschen ist.

So ließ Elija seinen Plan bekannt machen. Und der König forderte die Leute auf zum Berg Karmel zu kommen und dort die große Probe mit anzusehen. Und es kamen viele auf den Berg. Dort waren zwei Altäre aufgebaut. Darauf lag Holz und auf jedem ein Opferstier. Um den einen Altar waren die Propheten des Gottes Baal versammelt, an dem anderen stand allein der Prophet Elija. Der Gott sollte als der wahre, lebendige Gott Israels gelten, der durch einen Blitz das jeweilige Opfer entzünden würde.

Es dauerte den ganzen Vormittag, es wurde Mittag und auch der Nachmittag war schon fast verstrichen. Die Baalspropheten tanzten um ihren Altar. Und Elija verspottete sie und forderte sie auf: „Schreit doch lauter, damit es euer Baal hört!" Doch nichts geschah. Elija schüttete sogar Wasser über seinen Altar, damit er es noch schwerer haben sollte. Und weitere Stunden verstrichen.

Als es schließlich Abend wird, verdunkelt sich der Himmel. Die erwartete Entscheidung könnte sich anbahnen. Und es geschieht wirklich etwas ganz Überraschendes. Durch einen Blitz werden beide Altäre entzündet. Die Leute sind überrascht. Elija und die Baalspropheten gehen aufeinander zu. „Unser Streit war unnötig!", sagt einer der Propheten. „Die Menschen sollen zu deinem Gott bitten oder zu Baal, der Streit ist überflüssig. Wenn wir uns miteinander vertragen, dann wird es auch wieder regnen." Elija zögert, aber dann gibt er den Baalspropheten die Hand.

Als schließlich Abend geworden ist, gehen die meisten Leute wieder nach Hause. Elija und die Baalspropheten sind müde vom Warten und enttäuscht, dass nichts passiert ist. Schließlich spricht der Älteste der Baalspropheten zu Elija: „Wahrscheinlich war unsere Probe unsinnig. Den Regen kann wirklich nur ein Gott senden. Aber vielleicht meinen wir dasselbe, wenn wir jeweils unseren Gott um Regen anflehen." Elija hört es sehr genau, was der Prophet ihm sagt. Sollte sein Eifer für den Gott Israels unsinnig sein? Wäre es besser sich zu vertragen? Vielleicht käme der erhoffte Regen dann? Elija wagt ein versöhnendes Wort. Es ist der Anfang eines Gesprächs. Und während die Nacht hereinbricht, sehen sie, wie erste Wolken aufziehen. Könnten sie Vorboten des Regens sein?

Als es Abend wird, verfärbt sich der Himmel. Gewitterwolken ziehen auf. Und plötzlich geschieht das Unerwartete. Elijas Opferstier brennt. Die Menge, längst vom Warten ermüdet, sieht es wie elektrisiert. Und schon fallen sie über die Baalspropheten her und beschimpfen sie. Elija sieht jetzt seine Chance. „Sie haben euch verführt. Sie haben euch dem lebendigen Gott abspenstig gemacht. Bestraft sie!", ruft er. Er packt den ersten der eingeschüchterten Propheten und schlägt auf ihn ein. Jetzt schließen sich auch andere an und bald darauf ist alles vorbei. Der Baals-Altar ist zerstört und die Baalspropheten sind tot. Und ein paar Stunden später kommt der lang ersehnte Regen.

Die Aufnahme Elias in den Himmel, Ikone, spätes 15. Jh.

Steh auf und iss

Michail Wrubel, 1905

Meine Mittel erlaubten mir nicht, ein Zimmer zu mieten; ich musste mich mit Zimmerecken begnügen. Ich hatte nicht einmal ein Bett für mich allein. Ich musste es mit einem Arbeiter teilen. Er war ein Engel, dieser Arbeiter mit dem tiefschwarzen Schnurrbart. Aus lauter Freundlichkeit zu mir drückte er sich ganz gegen die Wand, damit ich mehr Platz hatte. Ich lag, ihm den Rücken zukehrend, mit dem Gesicht zum Fenster und atmete die frische Luft. In diesem Zimmer mit Arbeitern und Straßenhändlern als Nachbarn blieb mir nichts anderes übrig, als mich auf den Bettrand zu legen und über mein Leben zu grübeln. Worüber sonst? Und Träume suchten mich heim:

Ein viereckiges Zimmer – leer. In einer Ecke ein Bett und ich darin. Es wird dunkel. Plötzlich öffnet sich die Zimmerdecke und ein geflügeltes Wesen schwebt hernieder mit Glanz und Gepränge und erfüllt das Zimmer mit wogendem Dunst.

Es rauschen die schleifenden Flügel.

Ein Engel!, denke ich. Ich kann die Augen nicht öffnen, es ist zu hell, zu gleißend. Nachdem er alles durchschweift hat, steigt er empor und entschwindet durch den Spalt in der Decke, nimmt alles Licht und Himmelsblau mit sich fort. Dunkel ist es wieder, ich erwache.

Marc Chagall

Vom reichen und vom armen Bauern

Nach Neujahr hätte der Regen einsetzen sollen. Zwar jagt der Wind jeden Tag graue Wolken vom Meer her über das Land. Aber kein Tropfen Wasser fällt vom Himmel. Der Boden ist hart. Die Bauern können nicht säen. Als der Frühling kommt, wachsen Gras und Frucht nur spärlich.

„Es gibt ein Hungerjahr", sagen die Bauern. Der Sommer geht vorbei und im Herbst kostet das Getreide dreimal so viel wie im vergangenen Jahr.

„Der Michael hat seine Scheunen bis unters Dach mit Korn gefüllt", sagen die Leute. „Aber er verkauft nichts. Er wartet, bis es noch teurer wird." Ephraim steht unter der Tür seines Hauses. Auf der Gasse spielen Kinder. Sie formen aus dem Straßenstaub Kuchen.

Ephraims Haus hat nur ein Zimmer. Im Zimmer ist es dunkel. In einer Ecke knabbern drei magere Ziegen an Strohhalmen. In der Mitte des Zimmers sitzt Ephraims Frau auf dem Lehmboden. Sie heißt Mirjam. Sie mahlt Gerste. Mit der rechten Hand streut sie Körner auf den Stein. Die Körner fallen durch das Loch in der Mitte und werden zwischen den Steinen zu Mehl zerrieben.

„Wie viel Gerste haben wir noch?", fragt Ephraim.

Mirjam deutet mit dem Kopf auf den Krug, der neben ihr steht. „Das ist noch alles", sagt sie.

Ephraim holt einen Scheffel und einen leeren Krug. Der Scheffel ist ein Hohlmaß aus Holz. Er greift mit dem Scheffel in den vollen Krug und schüttet die Gerste in den leeren Krug.

„Ein Scheffel", zählt Ephraim. „Zwei Scheffel ... vier Scheffel ... sieben ... zehn ... vierzehn ..."

Jetzt ist der Krug leer.

„Es sind fünfzehn Scheffel", sagt Ephraim. „So viel brauche ich als Saatgut für den halben Acker. Für den ganzen brauche ich dreißig Scheffel."

„Bis zur nächsten Ernte brauchen wir auch Brot", sagt Mirjam. „Wenn ich Linsen unter die Gerste mische, reichen acht Scheffel."

„Aber dann hab ich nur sieben Scheffel Saatgut", sagt Ephraim. „Und das ist viel zu wenig."

„Michael hat noch Gerste", sagt Mirjam.

„Michael ist ein Gauner!", schreit Ephraim. „Ein Halsabschneider. Ein Wucherer. Ein gemeiner Kerl."

„Unser Ältester könnte bei ihm als Taglöhner arbeiten", sagt Mirjam.

„Vielleicht gibt er uns dafür ein paar Scheffel Gerste."

Ephraim geht auf die Gasse. Michaels Haus liegt im oberen Teil der Stadt. Dort, wo die Reichen wohnen. Rund um das Haus führt eine Mauer. Zwei Männer bewachen das Tor.

„Ich will dem Michael Getreide abkaufen", sagt Ephraim. Einer der Wächter stößt das Tor auf. Ephraim steht in einem Hof. Rechts sind die Vorratshäuser.

Michael kommt aus dem Haus.

„Ich brauche Saatgut", sagt Ephraim. „Zwanzig Scheffel."

Michael reibt sich sein Doppelkinn. „Du hast gesagt, dass ich ein Esel bin. Aber jetzt hör mal gut zu: Unser König Jerobeam II. hat im Ostjordanland Krieg geführt. Er hat viel Land erobert. Fruchtbares Land. Die Basan-Ebene! Mit fetten saftigen Wiesen! Und erst die Kühe, die dort weiden! Die Basan-Kühe! Dick und gesund! Mit solchen Eutern! Und geregnet hat es dort! Gott sei Dank hab ich von diesem Land gekauft! Fünf große Äcker! Meine Pächter haben mir meine Scheunen bis unters Dach mit Weizen und Gerste gefüllt."

„Verkaufst du mir zwanzig Scheffel Gerste?", fragt Ephraim.

„Wenn du mir zwanzig Lot Silber bezahlst", sagt Michael.

Grabbeigabe aus Gemni/Ägypten: Bauern beim Kornmahlen

„Du bist ein Wucherer", ruft Ephraim. „Ich hab kein Silber. Aber mein Sohn kann bei dir als Taglöhner arbeiten."
„Ich hab genug Taglöhner", sagt Michael. „Jeden Morgen steht das Gesindel, das in den Zelten vor der Stadt haust, auf dem Markt und wartet auf Arbeit. Und da sind Männer dabei, die schaffen doppelt so viel wie dein Sohn."
„Aber was soll ich dir denn geben?"
„Deinen Acker!"
„Den bekommst du nie!", ruft Ephraim.
„Dann verpfänd ihn mir!"
Ephraim schaut Michael misstrauisch an. „Wie geht das zu?"
„Ganz einfach", sagt Michael. „Ich geb dir jetzt zwanzig Scheffel Gerste. Und nach der Ernte gibst du mir vierzig Scheffel zurück. Die zwanzig Scheffel, die du mir mehr gibst, das ist der Zins."

Werner Laubi

Amos

Elfenbeinrelief – Rest eines elfenbeinernen Bettes, 9. Jh. v. Chr. (6 x 10 cm; Ausschnitt, Nimrud / Irak)

Der Löwe brüllt

Brüllt etwa ein Löwe im Walde, wenn er keinen Raub hat? Schreit etwa ein junger Löwe aus seiner Höhle, er habe denn etwas gefangen?

Der Löwe brüllt, wer sollte sich nicht fürchten? Gott der HERR redet, wer sollte nicht Prophet werden?

Verkündigt in den Palästen von Aschdod und in den Palästen im Lande Ägypten und sprecht: Sammelt euch auf den Bergen um Samaria und sehet, welch ein großes Zetergeschrei und Unrecht darin ist!

Sie achten kein Recht, spricht der HERR; sie sammeln Schätze von Frevel und Raub in ihren Palästen.

Darum spricht Gott der HERR: Man wird dies Land ringsumher bedrängen und dich von deiner Macht herunterreißen und deine Häuser plündern.

So spricht der HERR: Gleichwie ein Hirte dem Löwen zwei Beine oder ein Ohrläppchen aus dem Maul reißt, so sollen die Israeliten herausgerissen werden, die zu Samaria sitzen in der Ecke des Ruhebettes und auf dem Lager von Damast.

Hört und bezeugt es dem Hause Jakob, spricht Gott der HERR, der Gott Zebaoth: Zur Zeit, da ich die Sünden Israels heimsuchen werde, will ich die Altäre in Bethel heimsuchen und die Hörner des Altars abbrechen, dass sie zu Boden fallen sollen, und will Winterhaus und Sommerhaus zerschlagen und die elfenbeingeschmückten Häuser sollen zugrunde gehen und viele Häuser vernichtet werden, spricht der HERR.

Amos 3, 4, 8-15

Der Herr liess mich schauen

Die Worte, die Amos, ein Schafzüchter aus Tekoa, in Visionen über Israel gehört hat, in der Zeit, als Usija König von Juda und Jerobeam, der Sohn des Joasch, König von Israel waren, zwei Jahre vor dem großen Erdbeben.

Die Heuschrecken

Dies zeigte mir Gott, der Herr, in einer Vision: Er ließ Heuschreckenschwärme entstehen, als gerade die Frühjahrssaat zu wachsen begann, die Frühjahrssaat folgt auf den Schnitt für die Könige. Sie machten sich daran, alles Grün im Land zu vertilgen. Da rief ich: Gott, mein Herr, vergib doch! Was soll denn aus Jakob werden? Er ist ja so klein. Da reute es den Herrn und er sagte: Es soll nicht geschehen.
Amos 7,1-3

Der Obstkorb

Dies zeigte mir Gott, der Herr, in einer Vision: Ich sah einen Korb mit reifem Obst. Er fragte: Was siehst du, Amos? Ich antwortete: Einen Korb mit reifem Obst. Da sagte der Herr zu mir: Mein Volk Israel ist reif für das Ende. Ich verschone es nicht noch einmal. An jenem Tag werden die Sängerinnen des Palastes Klagelieder singen – Spruch des Herrn. Alles ist voller Leichen, überall wirft man sie hin. Still!
Amos 8,1-3

quantitativer irrtum

*so reich
waren wir nie
wie heute
so habgierig aber
waren wir nie
wie heute*

*so viele kleider
hatten wir nie
wie heute
so ausgezogen
so nackt aber
waren wir nie
wie heute*

*so satt
waren wir nie
wie heute
so unersättlich aber
waren wir auch nie
wie heute*

*so schöne häuser
hatten wir nie
wie heute
so unbehaust
so heimatlos aber
waren wir nie
wie heute*

*so versichert
waren wir nie
wie heute
so unsicher aber
waren wir nie
wie heute*

*so weit gereist
waren wir nie
wie heute
so eng aber
war für uns das land nie
wie heute*

*so viel Zeit
hatten wir nie
wie heute
so gelangweilt aber
waren wir auch nie
wie heute*

*so vielwissend
waren wir nie
wie heute
so sehr die übersicht verloren
haben wir nie
wie heute*

*so viel gesehen
haben wir nie
wie heute
so blind aber
waren wir nie
wie heute*

*so viel licht
hatten wir nie
wie heute
so dunkel aber
war es nie
wie heute*

*so risikolos
haben wir nie gelebt
wie heute
so isoliert aber
waren wir menschen nie
wie heute*

*so hoch entwickelt
waren wir nie
wie heute
so sehr am ende aber
waren wir nie
wie heute*

Wilhelm Willms

Karl Hofer, 1922

DER MARSCH

(ein Film von David Wheatley, 1990)

Eine große Menschenmenge aus dem Sudan macht sich auf einen langen, beschwerlichen
Fußmarsch nach Europa, um sich vor dem Hungertod zu retten. Die Hungersnot in
ihrem Land ist verursacht durch einen komplexen Zusammenhang von ökono-
mischen und in ihrer Folge ökologischen und klimatischen Katastrophen.
Sie wollen nach Europa marschieren, um die reichen Länder mit ihrem
Elend zu konfrontieren. Claire Fitzgerald von der Europäischen
Kommission in Brüssel versucht, sich für diese Menschen
zu engagieren, doch die schwerfällige Bürokratie
kann sich zu keinen Hilfsmaßnahmen ent-
schließen. Der Zug der Armen erhält
in Nordafrika weiteren Zulauf
und erreicht schließlich die
Meerenge von Gibraltar.
Auf der spanischen
Seite stehen hoch-
gerüstete mili-
tärische Ein-
heiten. Die
Situation
spitzt
sich
zu.

Rede von Isa El Mahdi, dem Anführer der Menschenmenge,
vor der Überfahrt nach Europa:

„Die Völker Europas fragen, warum wir kommen. Wir kommen, um euch etwas zu fragen: Warum habt ihr so viel und wir so wenig? Ist es, weil ihr bessere Menschen seid als wir? Habt ihr so viel getan, dass ihr mehr verdient? Sagt uns was und wir werden das Gleiche tun. Aber vielleicht habt ihr keine Antwort. Vielleicht sagt ihr: ‚Gott hat die Welt so gemacht, wir können euch nicht helfen. Geht heim und leidet in Schweigen. Geht heim und sterbt.' Dann sagen wir euch: ‚Wir haben keine Heimat, wir leiden hier vor euren Augen, wir sterben hier auf den Straßen von Europa. Wir haben keine Macht, außer einer: zu entscheiden, wo wir sterben'.
Alles was wir verlangen, ist: Seht uns sterben!"

Wer hört schon auf einen Propheten?

Sigmar Polke, 1992

Ein Reisezirkus brach in Flammen aus, nachdem er sich am Rande eines dänischen Dorfes niedergelassen hatte. Der Direktor wandte sich an die Darsteller, die schon für ihre Nummer hergerichtet waren und schickte den Clown ins Dorf, um Hilfe beim Feuerlöschen zu holen, das nicht nur den Zirkus zerstöre, sondern über die ausgetrockneten Felder rasen und die Stadt selber vernichten könnte. Der angemalte Clown rannte Hals über Kopf auf den Marktplatz und rief allen zu, zum Zirkus zu kommen und zu helfen das Feuer zu löschen. Die Dorfbewohner lachten und applaudierten diesem neuen Trick, durch den sie in die Schau gelockt werden sollten. Der Clown weinte und flehte, er versicherte, dass er jetzt keine Vorstellung gab, sondern dass die Stadt wirklich in tödlicher Gefahr war. Je mehr er flehte, desto mehr johlten die Dörfler, bis das Feuer über die Felder sprang und sich in der Stadt selbst ausbreitete. Noch ehe die Dörfler zur Besinnung kamen, waren ihre Häuser zerstört.

Harvey Cox

MARIA AUS MAGDALA

Ferdinand Hodler, 1897

So hätte es sein können
Der Hauptmann ließ diejenigen durch die Sperre, auf die Jochanan zeigte: Jeschuas Mutter, mich und ihn selbst. So standen wir denn unterm Kreuz. Wir standen! Es ist nicht wahr, was man erzählte: Jeschuas Mutter sei ohnmächtig in Jochanans Arme gesunken, und ich sei, wahnsinnig vor Schmerz, unterm Kreuz gelegen, mir die Haare raufend, das Kleid zerreißend, in Tränen schwimmend. So hätte es sein können. Aber so war es nicht. Niemand hat uns schwach gesehen. Ich stand Aug in Aug mit Jeschua, keinen Blick ließ ich von ihm.

Luise Rinser

Und als der Sabbat vergangen war, kauften Maria von Magdala und Maria, die Mutter des Jakobus, und Salome wohlriechende Öle, um hinzugehen und ihn zu salben.

Und sie kamen zum Grab am ersten Tag der Woche, sehr früh, als die Sonne aufging. Und sie sprachen untereinander: Wer wälzt uns den Stein von des Grabes Tür? Und sie sahen hin und wurden gewahr, dass der Stein weggewälzt war; denn er war sehr groß.

Und sie gingen hinein in das Grab und sahen einen Jüngling zur rechten Hand sitzen, der hatte ein langes weißes Gewand an, und sie entsetzten sich. Er aber sprach zu ihnen: Entsetzt euch nicht! Ihr sucht Jesus von Nazareth, den Gekreuzigten. Er ist auferstanden, er ist nicht hier.

Als aber Jesus auferstanden war früh am ersten Tag der Woche, erschien er zuerst Maria von Magdala, von der er sieben böse Geister ausgetrieben hatte.

Matthäus 16,1-6 u. 9

Wie Jesus starb, hatte keiner seiner Jünger gesehen.

(Mereschkowski)

Es waren Frauen und keine Männer, die als erste zum Grabe gingen; die Frauen sind mutiger als die Männer.

(Eine Bäuerin aus Solentiname)

Frauen haben im Evangelium mehr Mut und Herz. Frauen haben eine Sonderrolle: im Evangelium gibt es eine Frauengeschichte, die die Jüngergeschichte in den Schatten stellt.

(Eine Bäuerin aus Nicaragua)

Würde der Erlöser denn insgeheim – ohne es uns wissen zu lassen – mit einer Frau gesprochen haben? Sollten wir vielleicht umkehren und alle auf sie hören? Hat er sie uns vorgezogen?

(Petrus über Maria Magdalena im apokryphen „Evangelium nach Maria Magdalena")

Fra Angelico, 1440/41

ICH HÖRE RABBI. SPRICH!

Ehe der Morgen dämmerte, war ich wach.
Ich weckte Schulamit, die neben mir lag.

Komm gehen wir zum Grab!
Aber was tun?
Ich will zu ihm.
Zu ihm? Aber er ist doch tot. Und im Grab. Und vor dem Grab ist ein Stein. Und da sind Wachen. Mirjam, das ist ein Wahnsinnsplan.
Wieviel Geld hast du?
Sie zählte es.
Das wird mit dem meinen zusammen reichen.
Wozu denn, was hast du vor, um alles, sag doch!
Die Wachen bestechen. Kommst du mit oder nicht?

Es war noch fast dunkel. Die Stadt schlief noch. So kamen wir zum Grab.
Da waren keine Wachen. Aber Helme und Spieße lagen verstreut auf dem Boden. Das sah nach eiliger Flucht aus. Aber welcher Soldat wirft seine Waffen weg? Wer hat sie entwaffnet?
Wer soll mir den Stein wegrollen?
Wir versuchten es. Er war viel zu schwer.
Da sah ich im Olivenhain, in dem das Grab lag, zwischen den Bäumen einen Mann.
Schulamit floh. Aber der Mann war kein Soldat. Ein Waffenloser jedenfalls. Er kam näher. Ich dachte: wenn ich ihm Geld gebe, wird er mir helfen den Stein wegzurollen. Als er noch etwas näher kam, hielt ich ihn für einen Arbeiter, einen Gärtner. Doch zu so früher Stunde?
Ich wurde unsicher. Hatte ich Angst? Mein Herz schlug heftig. Der Mann kam näher.
Mirjam!
Das war seine Stimme.
Da erkannte ich ihn. Rabbi!
Ich fiel ihm zu Füßen und lachte und weinte in einem und war außer mir vor Freude.
Aber als ich seine Knie umfassen wollte, wich er zurück. Nicht so Mirjam, so nicht mehr und noch nicht. Bleib stehen, wo du stehst. Höre, ich gebe dir einen Auftrag. Hör genau zu!
Ich höre, Rabbi. Sprich!
Geh du zu den andern. Sag ihnen, dass du mich gesehen hast. Sag ihnen, ich gehe ihnen voran in den Galil. Du wirst mich wiedersehen, Mirjam.
Dann war die Stelle, an der er gestanden hatte, leer. Aber in mir brannte es. Ich lief ein paar Schritte. Vielleicht war er zwischen den Bäumen verborgen. Aber da war nichts. Und keine Spur im feuchten Gras. Kein Geräusch von Schritten, die sich entfernten.
Rabbi! Rabbi!
Nichts mehr.

Schulamit rief: Mit wem redest du? Wer war der Mann? Er hat dich beim Namen genannt.
So hast dus auch gehört? Sag: hast dus gehört?
Freilich.
Und hast du den Mann gesehen?
Ja, dort stand er, wo du jetzt stehst.
Schulamit: Das war ER!
Du bist wahnsinnig geworden, Mirjam, Arme. Komm, gehen wir weg von hier.
Aber du hast ihn doch selbst gehört und gesehen!
Ich habe einen Mann gesehen und eine Stimme gehört, die deinen Namen sagte, das ist alles, und mehr hast du auch nicht gesehen und gehört. Komm, komm! Vielleicht war es ein Gespenst. Man sagt, dass Tote in den ersten Tagen aus dem Grab kommen und herumstreichen. Komm, ich bitte dich.
Ich bin nicht wahnsinnig, und der Mann war kein Gespenst. Glaubs oder glaubs nicht: Es war ER, und er gab mir den Auftrag, allen zu sagen, daß ich ihn gesehen habe und dass er zum Galil gehe, und wir sollen ihm dorthin folgen. Sagt das ein Gespenst?

Luise Rinser

Albanipsalter, 12. Jh.

MARY'S SONG

I don't know how to love him
What to do how to move him
I've been changed yes really changed
In these past few days when I've seen myself
I seem like someone else

I don't know how to take this
I don't see why he moves me.
He's a man he's just a man
And I've had so many men before

In very many ways
He's just one more

Should I bring him down should I scream and shout
Should I speak of love let my feelings out
I never thought I'd come to this — what's it all about
Don't you think it's rather funny
I should be in this position
I'm the one who's always been
So calm so cool, no lover's fool
Running every show
He scares me so

I never thought I'd come to this — what's all about
Yet if he said he loved me
I'd be lost I'd be frightened
I couldn't cope just couldn't cope
I'd turn my head I'd back away
I wouldn't want to know
He scares me so
I want him so
I love him so

                              Tim Rice

ZWISCHEN TRAUER UND HOFFNUNG

Mitten im zweiten Weltkrieg begegnen sich zwei sehr unterschiedliche Menschen und verlieben sich ineinander. Die 18-jährige Maria von Wedemeier trifft den 37-jährigen Dietrich Bonhoeffer. Maria hat gerade das Abitur hinter sich. Dietrich Bonhoeffer ist Pfarrer. Er ist eine wichtige Person im deutschen Widerstand gegen Hitler. Am 5. April 1943 wird Dietrich Bonhoeffer verhaftet. Kurz zuvor hatten sich Maria und Dietrich verlobt. Die beiden beginnen für die nächsten zwei Jahre einen Briefwechsel, der erst durch die Verlegung Dietrich Bonhoeffers in ein anderes Gefängnis abbricht.

Hannover, 7. V. 43

Lieber, geliebter Dietrich!

Deine Mutter hat mir Bilder von dir geschenkt, acht kleine Bilder. Die stehen jetzt vor mir, ich sehe sie an und es ist alles so greifbar nah, du und deine Gedanken, die Tage, in denen wir zusammen waren und die, in denen wir es sein werden. –

Sei nicht traurig, Dietrich, auch nicht, wenn du an mich denkst. Glaub mir, dass ich sehr tapfer sein will. – Manchmal denke ich, ich könnte ja gar nicht traurig sein, weil deine Gedanken, die bei mir sind, es einfach nicht zulassen, und weil das, was du mir damit schenkst, ja so unendlich viel größer ist. – Nein, du sollst dich nicht sorgen um mich; du sollst wissen, dass wenn es dir gut geht, ich nur froh und dankbar bin, aber dass mir deine Traurigkeit sehr weh tut. –

Jeden Abend nehme ich dein Bild in die Hand und dann erzähle ich dir viel, von „weißt du noch" bis von „später", so viel, dass ich es schließlich selbst glauben muss, dass der Schritt zu beiden über das zeitlich näher Liegende klein ist. Ich sage dir dann all das, was sich nicht schreiben lässt – schon gar nicht, wenn andere Leute den Brief auch noch lesen müssen – aber was du ja weißt, auch ohne dass ich es schreibe. – …

Tegel, 27. VIII. 43

Meine liebste Maria!

Wie soll ich dir schreiben, was deine Besuche für mich bedeuten? Sie vertreiben jeden Schatten und jeden Kummer und sind tagelang eine Quelle großen und ruhigen Glücks – wenn du wüsstest, was das für einen Gefangenen heißt, dann wüsstest du auch, dass es Größeres nicht gibt. Dass ich mich in Gedanken an dich nicht quälen muss, dass die Sehnsucht, bei dir zu sein nichts Aufreibendes zu haben braucht, sondern dass ich in ruhiger Zuversicht und Freude an dich denken und mich nach dir sehnen darf, – das habe ich dir und deinem tapferen guten Herzen und deiner Liebe zu danken. Dass du dir die Sprecherlaubnis zu so ungewöhnlicher Stunde um meinetwillen erbeten hast und erbitten durftest, dafür bin ich sehr, sehr dankbar. Wenn ich nach unserem Zusammensein in meine Zelle komme, dann überwiegt nicht etwa, wie du vielleicht denken könntest, das Gefühl der Verzweiflung über die Unfreiheit, sondern es überwältigt mich der Gedanke, dass du mich genommen hast. Es hätte ja so viele so begreifliche Gründe gegeben, dass du hättest Nein sagen können. Und gegen alle diese Gründe hast du: Ja gesagt, und ich darf spüren, dass du es immer freier und gewisser sagst. Vor dieser Wirklichkeit versinken alle Fenstergitter …

Renatto Guttuso, 1973

87

Am 9. April 1945 wird Dietrich Bonhoeffer im Konzentrationslager Flossenbrück erhängt. Von seinem Tod erfährt Maria erst Monate später – im Juni.

Ihr Leben ändert sich. Sie ist 21 Jahre alt und wird nicht die Frau des Pfarrers Dietrich Bonhoeffer werden können. So beginnt sie im Herbst 1945 in Göttingen Mathematik zu studieren. 1948 setzt sie ihr Studium in den USA fort. Ein Jahr später heiratet sie Paul-Werner Schniewind, einen Jurastudenten aus Göttingen. Beide beenden ihre Studien in den USA. Paul-Werner kommt beruflich bei einer Bank unter, Maria beginnt als Statistikerin zu arbeiten. Nach zwei Jahren wechselt sie zu einer anderen Firma. Sie wird dort als Mathematikerin in einer Abteilung eingesetzt, die einen ganz neuen Bereich betreut: die Datenverarbeitung mit elektronischen Rechenmaschinen. Es ist eine Aufgabe, die Maria sehr gefällt. Man befördert sie zur Gruppenleiterin in der Abteilung für „Angewandte Mathematik", der Arbeit mit Computern. 1955 trennen sich Paul-Werner und Maria; die beiden Söhne bleiben bei der Mutter.

1959 heiratet Maria erneut: dieses Mal Barton Weller, der ebenfalls zwei Kinder hat. Maria beendet ihre Berufstätigkeit und kümmert sich ganz um die Kinder. Denn Barton Weller verfügt über ein genügend hohes Einkommen: Er zählt zu den Erfindern von Chips und hat zu deren Produktion eine eigene Fabrik gegründet. Doch auch diese Verbindung geht 1965 auseinander. Maria muss wieder arbeiten, um sich, ihre beiden Söhne und Wellers Tochter Sue zu ernähren, die bei ihr bleiben wollte.

Über einen früheren Arbeitskollegen bekommt Maria eine Stelle bei dem Computerhersteller Honeywell. Nach vier Jahren wird sie zur Leiterin der Abteilung für Systemanalyse befördert. Zeitweise ist sie dabei auch für Rüstungsprojekte während des Vietnamkriegs tätig. 1975 ernennt man sie zur Managerin der Entwicklungsabteilung für Computer – im gesamten technischen Konzernbereich von Honeywell ist sie die einzige Frau in solch einer Position. Ihre Mitarbeiter bei Honeywell sind von der neuen Chefin angetan, auch wenn sie es nicht immer leicht mit ihr haben: einerseits ist sie streng, rechthaberisch und kehrt ihr technisches Wissen heraus. Andererseits setzt sie sich für ihre Leute ein und spricht offen gegenüber höheren Vorgesetzten aus, was alle denken.

In ihrer Freizeit engagiert sich Maria in der „Industrial mission". Es ist eine Gruppe von Christen aus ganz verschiedenen Berufen, die durch konkrete Forderungen an Unternehmen und Politik Veränderungen in den USA herbeiführen möchten. Im Zentrum dieser Bewegung steht die Frage, ob man alles tun darf, was technisch machbar ist? Mehr als einmal gerät Maria dabei in Konflikt mit ihrer Rolle als Managerin.

Als 1976 Dietrich Bonhoeffers 70. Geburtstag mit einer großen Konferenz in Genf gefeiert wird, trifft Maria nach langen Jahren erstmals wieder auf Dietrichs frühere Freunde. Ihren Briefwechsel mit Dietrich wollte sie bis dahin nicht veröffentlichen. Langsam aber reift in ihr der Entschluss, es doch zu tun. Ihre Zurückhaltung begründet sie so: „Ich war ja damals noch so jung. Ich möchte eigentlich gern auch als der Mensch, der ich jetzt bin, neben Dietrich stehen." Kurz vor ihrem Tod übergibt sie ihrer Schwester die Vollmacht für den gesamten Briefwechsel mit Dietrich Bonhoeffer.

Maria von Wedemeyer stirbt am 16. November 1977 an einem Krebsleiden. Nur wenige ihrer Freunde in Amerika kannten ihre ganze Lebensgeschichte.

nach Ruth A. v. Bismarck und Ulrich Kabitz

ZWISCHEN JERUSALEM UND ROM

Orant zwischen Petrus und Paulus, 4. Jh. n. Chr.

JUDEN, CHRISTEN UND HEIDEN IM RÖMISCHEN REICH

Fra Angelico, um 1500

STEPHANUS

Mein Name ist Stephanus. Ein griechischer Name, ich weiß. Aber meine Familie kommt ursprünglich aus Kleinasien und dort spricht man griechisch. Aber dann hat es uns doch wieder hierher, nach Jerusalem getrieben, in die heilige Stadt. „Wir sind Juden, wir gehören ins Land Israel. Hier ist der Tempel und hierher soll auch der Messias kommen", sagte mein Vater und er hat Recht. Ja, wie sehr er Recht hat. Dieser Jesus, den sie hier ans Kreuz geschlagen haben, er ist der Messias, auf den wir Juden schon so lange warten. Doch er ist auferstanden und den Aposteln erschienen. Wenn wir Jesus-Anhänger uns treffen, dann spüren wir, dass er bei uns ist, besonders wenn wir das gemeinsame Mahl feiern. Und wir werden immer mehr. Wenn ich mich mit den anderen Griechisch sprechenden Juden in unserer Synagoge treffe, dann gibt es oft heftige Diskussionen. Immer geht es dann um Jesus und seine Verkündigung. Viele halten ihn für gescheitert, manche werden richtig aggressiv, aber es gibt auch immer wieder Neugier und Interesse. Einige haben sich unserer Gruppe auch schon angeschlossen. Seitdem ich das Amt des Diakons innehabe, habe ich noch mehr Pflichten in der Gemeinde Jesu Christi. Zur Predigt ist jetzt noch die Aufgabe hinzugekommen, die Versorgung der verwitweten Frauen zu organisieren. Doch in den letzten Tagen habe ich etwas ganz Überwältigendes erlebt. Ich wusste nicht, ob ich wache oder träume. Der Himmel hatte sich mir aufgetan und ich sah den Auferstandenen. In diesem Moment war mir klar geworden, dass dieser Jesus für alle Menschen gekommen ist, nicht nur für uns Juden. Dann könnten die Gesetze des Mose, unsere geliebte Tora, an ihr Ende gekommen sein. Mit dem Messias Jesus hat eine neue Zeit angefangen.
Der Gedanke ist so neu, so kühn. Als ich ihn jüngst gegenüber einem Freund geäußert habe, hat er ganz entsetzt reagiert: „Unsere Tora, die Gott dem Mose am Sinai gegeben hat, soll nicht mehr heilig sein?" Aber auch wenn ich andere damit schockiere, ich kann diese Eingebung doch nicht für mich behalten.

Der Tod des Stephanus

Da standen einige auf von der Synagoge der Libertiner und der Kyrenäer und der Alexandriner und einige von denen aus Zilizien und der Provinz Asien und stritten mit Stephanus und sie sprachen: Wir haben ihn Lästerworte reden hören gegen Mose und gegen Gott. Dieser Mann hört nicht auf zu reden gegen diese heilige Stätte und das Gesetz. Stephanus aber, voll heiligen Geistes sah auf zum Himmel und sprach: Siehe, ich sehe den Himmel offen und den Menschensohn zur Rechten Gottes stehen.

Sie schrien aber laut und hielten sich ihre Ohren zu und stürmten einmütig auf ihn ein, stießen ihn zur Stadt hinaus und steinigten ihn. Und sie legten ihre Kleider ab zu Füßen eines jungen Mannes, der hieß hebräisch Saulus, griechisch Paulus.

Apostelgeschichte 6, 9 u.11 u.13; 7, 55-58

PAULUS

Auch ich komme aus Kleinasien. Tarsus ist die Heimat meiner Eltern. Ich habe erlebt, was es heißt als Jude im Ausland zu leben. Immer wieder stoßen wir bei der heidnischen Bevölkerung auf Ablehnung oder Spott. Manche zeigen ihren Hass offen, manche machen eher nebenbei dumme Bemerkungen über uns. Auch fällt es schwer, in der Fremde wirklich jüdisch zu leben. Es ist nicht immer möglich, alle Gebote der Tora genau einzuhalten. Deshalb wollte ich nach Jerusalem. Hier lebe ich unter Juden und darf bei einem der berühmtesten Gesetzeslehrer studieren. Ich bin meinen Eltern sehr dankbar, dass sie mir das ermöglichten.

Zu meinem Schrecken finden sich hier Leute, die unsere Tora, die Gott unserem Volk gegeben hat, infrage stellen. Dass diese Leute selber Juden sind, macht alles noch viel schlimmer. Auch wenn sie sich auf einen Propheten Jesus berufen, der vor einiger Zeit hier aufgetreten ist, dürfen sie die Tora nicht schmähen. Man muss alles daransetzen, dass diese Menschen bestraft werden.

Mein Wahlspruch steht im Psalm 1:

Wohl dem, der nicht wandelt im Rat
der Gottlosen noch tritt auf den Weg
der Sünder noch sitzt, wo die Spötter sitzen,
sondern hat Lust am Gesetz des HERRN und
sinnt über seinem Gesetz Tag und Nacht!

Der ist wie ein Baum, gepflanzt
an den Wasserbächen,
der seine Frucht bringt zu seiner Zeit,
und seine Blätter verwelken nicht.
Und was er macht, das gerät wohl.

Aber so sind die Gottlosen nicht,
sondern wie Spreu, die der Wind verstreut.

Darum bestehen die Gottlosen
nicht im Gericht noch die Sünder
in der Gemeinde der Gerechten.

Denn der HERR kennt den Weg
der Gerechten, aber der Gottlosen Weg
vergeht.

Psalm 1,1-6

Paulus schreibt im Brief an die Philipper:

Ich bin am achten Tag beschnitten, aus dem Volk Israel, vom Stamm Benjamin, ein Hebräer von Hebräern, nach dem Gesetz ein Pharisäer, nach dem Eifer ein Verfolger der Gemeinde, nach der Gerechtigkeit, die das Gesetz fordert, untadelig gewesen.

Brief an die Philipper 3, 5-6

Lovis Corinth, 1911

DIE BERUFUNG DES PAULUS ZUM APOSTEL

Das eine müsst ihr wissen, Brüder: Die Gute Nachricht, die ich verkünde, ist nicht von Menschen erdacht. Ich jedenfalls habe sie nicht von Menschen übernommen oder gelernt. Jesus Christus ist mir erschienen und hat sie mir anvertraut.

Ihr wisst doch, was für ein eifriger Anhänger der jüdischen Religion ich früher gewesen bin. Bis zum Äußersten verfolgte ich die Gemeinde Gottes und tat alles, um sie zu vernichten. Ich befolgte die Vorschriften des Gesetzes peinlich genau und übertraf darin viele meiner Altersgenossen. Fanatischer als alle setzte ich mich für die überlieferten Lehren ein.

Aber dann hat Gott mich seinen Sohn sehen lassen, damit ich ihn überall unter den Völkern bekannt mache. Dazu hatte er mich schon vor meiner Geburt bestimmt und so berief er mich in seiner Gnade zu seinem Dienst.

Als das geschah, besann ich mich nicht lange und fragte keinen Menschen um Rat. Ich ging auch nicht nach Jerusalem zu denen, die vor mir Apostel waren, sondern begab mich nach Arabien und kehrte von dort wieder nach Damaskus zurück.

Erst drei Jahre später reiste ich nach Jerusalem, um Petrus kennen zu lernen, und blieb zwei Wochen bei ihm. Von den anderen Aposteln sah ich nur Jakobus, den Bruder des Herrn. Ich sage euch die reine Wahrheit; Gott weiß es.

Dann ging ich nach Syrien und Zilizien. Die christlichen Gemeinden in Judäa kannten mich persönlich nicht. Sie hatten nur gehört: „Der Mann, der uns verfolgte, verkündet jetzt den Glauben, den er früher ausrotten wollte!" Darum dankten sie Gott dafür, dass er dies an mir bewirkt hatte.

Brief an die Galater 1,11-21

Dieter Hacker, 1983

Paulus als Missionar

In der Auseinandersetzung mit Gegnern beschreibt Paulus im zweiten Brief an die Korinther seine Tätigkeit als Missionar.

Ich bin oft im Gefängnis gewesen.
Ich bin ausgepeitscht worden. Oft bin ich in Todesgefahr gewesen. Fünfmal habe ich von den Juden die neununddreißig Schläge bekommen. Dreimal wurde ich ausgepeitscht, einmal bin ich gesteinigt worden. Ich habe drei Schiffbrüche erlebt; das eine Mal trieb ich eine Nacht und einen Tag auf dem Meer. Auf meinen vielen Reisen haben mich Hochwasser und Räuber bedroht. Juden und Nichtjuden haben mir nachgestellt. Es gab Gefahren in den Städten und in der Wüste, Gefahren auf hoher See und Gefahren bei falschen Brüdern.
Ich habe Mühe und Not durchgestanden. Ich habe oft schlaflose Nächte gehabt; ich bin hungrig und durstig gewesen. Oft habe ich überhaupt nichts zu essen gehabt oder ich habe gefroren, weil ich nicht genug anzuziehen hatte. Ich könnte noch vieles aufzählen; aber ich will nur noch eines nennen: die Sorge um alle Gemeinden, die mir täglich zu schaffen macht.

2 Korinther 11, 23-28

Schiffsunfall

Paulus und die Gemeinde in Korinth

Die Bildung der christlichen Gemeinde in Korinth vollzog sich wohl in der für Paulus üblichen Missionsstrategie. Nach der Apostelgeschichte 18 verließ Paulus Athen und kam nach Korinth.

Als Silas und Timotheus aus Mazedonien nachkamen, konnte Paulus sich ganz seiner eigentlichen Aufgabe widmen. Er bezeugte den Juden, dass Jesus der versprochene Retter ist.
Als sie ihm aber widersprachen und ihn beschimpften, sagte er: „Von jetzt an werde ich mich an die Nichtjuden wenden."
Er verließ die Synagoge und sprach von nun an in dem danebenliegenden Haus von Titius Justus, einem Griechen, der sich zur jüdischen Gemeinde hielt. Der Synagogenvorsteher Krispus nahm mit seiner ganzen Familie Jesus als Herrn an. Viele Korinther, die davon erfuhren, kamen ebenfalls zum Glauben und ließen sich taufen.
So blieb Paulus eineinhalb Jahre dort und sagte den Menschen die Botschaft Gottes.

Ein Gottesdienst in der Gemeinde von Korinth, die Paulus gegründet hat

Ein Freund des Sklaven Tertius besucht die Christusgemeinde

Als wir im Hause des Gajus ankamen, waren schon etwa zwanzig bis dreißig Personen versammelt, meistens bessere Leute aus Korinth, entweder Schreib- oder Haussklaven wie ich selbst oder aber relativ begüterte Beamte und Gewerbetreibende. Selbstverständlich waren auch Krispus, der ehemalige Synagogenvorsteher und Erastus, der Vorsteher des korinthischen Bauamtes, da. Letzterer begrüßte mich persönlich herzlich, wodurch ich mich – ich muss das wohl zugeben – sehr geschmeichelt fühlte. Er sagte, er freue sich, mich hier anzutreffen und bot mir auch gleich einen Becher Wein, Weintrauben und Nüsse an. Im Ganzen herrschte eine gelockerte Stimmung, anders als bei offiziellen Empfängen.

Die meisten Neuankömmlinge brachten etwas Essbares mit: Früchte, Brot, Käse, Oliven, Blumen. Alles wurde auf einen großen Tisch gelegt. Ich war etwas verlegen, da ich nichts mitgenommen hatte.
Der Innenhof der Villa des Gajus füllte sich mehr und mehr. Nach der Abenddämmerung kamen auch Hafenarbeiter. Hätte man sie nicht gesehen, man hätte sie gerochen, denn sie brachten den typischen Geruch der Hafenarbeiter mit sich: Salzwasser und Fisch. Zudem kam nach acht Uhr eine ganze Clique von Hilfsarbeitern – alles Sklaven, wie man schon ihrem Benehmen anmerkte – und ausländische Arbeitskräfte aus Oberägypten und anderen entlegenen Orten des römischen Reiches. Unter sich redeten sie übrigens weder griechisch noch lateinisch, sondern irgendeinen barbarischen Dialekt. Erastus begrüßte sie ebenfalls und schenkte ihnen Wein ein, wie allen anderen. Allerdings reichte es nicht mehr für sie alle, denn sie hatten offenbar einen Riesendurst.

Nun stellten sich Krispus und Gajus hinter einen Tisch, auf dem Brote lagen. Auch ein großer Kelch war sichtbar. Drüben bei den Hilfsarbeitern und Ausländern war mir schon lange eine etwas exotische Frau aufgefallen mit kurz geschnittenen Haaren und einem purpurnen Kleid. Soweit ich das im Licht der unterdessen angezündeten Fackeln feststellen konnte, bewegte sie eine kleine Handtrommel, eine Art Tamburin. Die Hilfsarbeiter standen auf und stampften mit den Füßen den Takt des Tamburins mit. Ich merkte, dass sie in außerordentlich scharfen und zackigen Rhythmen und fast einfältigen Harmonien, ein Wort ständig wiederholten. Es hieß „marana-tha", wobei sie die zweitletzte und die letzte Silbe betonten: „marana-tha". Als sie geendet hatten, nahm Krispus einen Brotfladen, hielt ihn hoch, sprach ein kurzes Dankgebet, brach ihn und sagte: „Das ist mein Leib für euch. Tut dies zu meinem Gedächtnis!" Ich gab Tertius einen Puff, denn ich hielt das für einen schlechten Witz, musste aber sehen, dass er tief im Gebet versunken war und nicht merkte, was um ihn herum vorging. Nun wurde das Brot in Stücke gebrochen und verteilt. Nach kurzer Zeit hielt Krispus auch den Kelch hoch und sagte: „Dieser Kelch ist der neue Bund in meinem Blute. Das tut sooft ihr daraus trinkt, zu meinem Gedächtnis. Denn sooft ihr dieses Brot esst und den Kelch trinkt, verkündigt ihr damit den Tod des Herrn, bis er wiederkommt."

Der Becher wurde herumgereicht und die Frau im purpurnen Kleid – unterdessen hatte ich gehört, dass sie Chloe hieß – schlug wieder die Handtrommel und die Christen sangen, angeführt von den ausländischen Arbeitern „marana-tha, maranatha".

Paulus kommentiert diese Feier in einem Brief an die Gemeinde in Korinth

Zunächst hat man mir erzählt, dass es Spaltungen gibt, wenn ihr zusammenkommt. Ich glaube, dass der Bericht mindestens teilweise zutrifft. Es muss ja zu Spaltungen unter euch kommen, damit man sehen kann, wer sich im Glauben bewährt hat. Wenn ihr nun zusammenkommt, feiert ihr in Wirklichkeit gar nicht das Mahl des Herrn. Jeder nimmt erst einmal seine eigene Mahlzeit ein und während der eine hungert, ist der andere schon betrunken.

Man kann die Gemeinde Christi mit einem Leib vergleichen, der viele Glieder hat. Obwohl er aus so vielen Teilen besteht, ist der Leib doch einer. Denn wir alle, Juden und Nichtjuden, Sklaven und Freie, sind in der Taufe durch denselben Geist in den einen Leib Christi eingegliedert worden und wir haben auch alle an demselben Geist Anteil bekommen.
Ein Körper besteht nicht aus einem einzigen Teil, sondern aus vielen Teilen. Wenn der Fuß erklärt: „Ich gehöre nicht zum Leib, weil ich nicht die Hand bin" – hört er damit auf, ein Teil des Körpers zu sein? Oder wenn das Ohr erklärt: „Ich gehöre nicht zum Leib, weil ich nicht das Auge bin" – hört es damit auf, ein Teil des Körpers zu sein? Wenn alles nur ein einzelner Teil wäre, wo bliebe da der Leib? Aber nun gibt es viele Teile und alle an einem einzigen Leib. Das Auge kann nicht zur Hand sagen: „Ich brauche dich nicht!" Und der Kopf kann nicht zu den Füßen sagen: „Ich brauche euch nicht!" Gerade die Teile des Körpers, die schwächer scheinen, sind besonders wichtig. Die anderen Teile haben das nicht nötig. Gott hat unseren Körper zu einem Ganzen zusammengefügt und hat dafür gesorgt, dass die geringeren Teile besonders geehrt werden. Denn er wollte, dass es keine Uneinigkeit im Körper gibt, sondern jeder Teil sich um den anderen kümmert. Wenn irgendein Teil des Körpers leidet, dann leiden alle anderen mit ihm. Und wenn irgendein Teil geehrt wird, freuen sich alle anderen mit.

Ihr alle seid zusammen der Leib Christi; jeder Einzelne von euch ist ein Teil davon.

1 Korinther 11,18-21 und 12,12-27

Sieger Köder, 1996

Von Jerusalem nach Rom – von der Gefangenschaft zum Märtyrertod

Paulus hatte den Korinthern und anderen Gemeinden in Kleinasien und Griechenland die Botschaft von Jesus und den Glauben an den einen Gott Israels gebracht. Als Dank und Unterstützung sollten diese Gemeinden nach dem Willen des Paulus eine Geldsammlung durchführen. Diese Kollekte war bestimmt für die Christengemeinde in Jerusalem, die weiterhin innerhalb des Judentums verblieben war. Neben der materiellen Unterstützung sollte diese Sammlung auch ein Zeichen der Dankbarkeit sein für die Botschaft, die Paulus aus Jerusalem in seinen Missionsgemeinden verkündet hatte.

Aber ein solches Unternehmen war inzwischen sehr gefährlich geworden. Es hatte sich herumgesprochen, wie Paulus in den Synagogen Christen warb und so musste er in Jerusalem mit einem bösen Empfang rechnen, wenn er dorthin zurückkehren wollte. Auch für die Christengemeinde in Jerusalem war es nicht vorteilhaft, ihre Verbindung mit Paulus öffentlich herauszustellen. Trotzdem war Paulus an dieser Kollekte so viel gelegen, dass er es wagte, die gespendeten Gelder selbst nach Jerusalem zu bringen.

In Jerusalem wurde er von seinen jüdischen Gegnern gefangen genommen – und die trachteten ihm sogar nach dem Leben. Römische Soldaten konnten das verhindern, indem sie Paulus zu ihrem eigenen Gefangenen machten. Aber die Römer schleppten seinen Prozess lange hin und schickten ihn schließlich nach Rom, wo ein kaiserliches Gericht das endgültige Urteil sprechen sollte.

Auch in Rom dauerte es noch sehr lange, bis es zum endgültigen Prozess kam. Paulus konnte diese Zeitspanne wohl nutzen, um Kontakt zur römischen Christengemeinde aufzunehmen. Wahrscheinlich ist Paulus nicht mehr frei gekommen und zur Zeit des Kaisers Nero umgebracht worden.

Gravierung am Abdinghofer Tragaltar des Roger von Helmarshausen, um 1100

Das Martyrium des Bischofs Polykarp

Der betagte Bischof Polykarp wird im Zuge der Christenverfolgungen gesucht. Erst versteckt er sich, doch als ein Sklave unter der Folter dessen Aufenthaltsort verrät, stellt er sich seinen Verfolgern.

Der Polizeipräsident Herodes und sein Vater Niketes fuhren ihm ein Stück Weges entgegen, ließen ihn dann in ihre Kutsche einsteigen und sagten zu ihm: „Was ist eigentlich Schlimmes dabei zu sagen: ‚Der Kaiser ist Kyrios', ein Opfer darzubringen samt den üblichen Zeremonien – und so sein Leben zu retten?" Zuerst gab Polykarp gar keine Antwort. Aber sie ließen ihm keine Ruhe. Da sagte er: „Niemals werde ich tun, was ihr mir da vorschlagt!"

Als er in das Stadion hineingeführt wurde, erhob sich hier ein solches Gebrüll, dass man sein eigenes Wort nicht mehr verstand, denn es hatte sich sofort herumgesprochen: Polykarp ist verhaftet! Als er vor dem Richterstuhl stand, fragte ihn der Prokonsul: „Bist du Polykarp?" Dieser bejahte. Da versuchte der Prokonsul ihn zur Glaubensverleugnung zu überreden. Er sagte: „Denk doch an dein hohes Alter" – und in diesem Stil sprach er weiter, wie sie es eben gewohnt sind, zum Beispiel: „Schwöre beim göttlichen Genius des Kaisers!" Oder: „Geh in dich!"

Der Prokonsul aber wurde immer zudringlicher und sagte: „Schwöre ab und du bist frei! Fluche deinem Christus!" Polykarp gab zur Antwort: „Seit sechsundachtzig Jahren diene ich ihm und er hat mir nie ein Leid getan. Wie also könnte ich fluchen meinem König und Erlöser?"

Aber der Prokonsul drang von neuem in ihn und sagte: „Schwöre doch beim Glücksgenius des Kaisers!" Polykarp antwortete: „Wenn du dir etwa einbildest, ich würde einen Schwur tun beim Genius des Kaisers, wie du dich auszudrücken beliebst, dann stellst du dich, als sei dir unbekannt, wer ich eigentlich bin. Höre drum, was ich mit allem Freimut sage: Ich bin ein Christ!"

Da sagte der Prokonsul: „Ich habe auch wilde Bestien. Denen lass ich dich zum Fraß hinwerfen, wenn du nicht andern Sinnes wirst." Polykarp sagte nur: „Lass die Bestien ruhig kommen. Für unsereins kommt es gar nicht in Frage den Sinn zu ändern vom Guten zum Schlechten. Wohl aber ist es edel seine Gesinnung aufzugeben, wenn es heißt, von der Gemeinheit zur Gerechtigkeit sich zu wenden." Aber der Prokonsul fuhr fort: „Die wilden Bestien machen also keinen Eindruck. Gut, wenn du deinen Sinn nicht änderst, sollen dich die Feuerflammen fressen!"

Der Prokonsul ließ jetzt seinen Herold von der Mitte der Kampfarena aus dreimal verkündigen: „Polykarp hat sich als Christ bekannt!" Kaum war die Stimme des Herolds verklungen, da brüllte die ganze Menge, die hier in Smyrna wohnten mit tosender Stimme und einer Wut, die nicht mehr zu bändigen war: „Das ist der Lehrer von ganz Asien! Das ist der Vater der Christen! Der verachtet unsere Götter! Der bringt ihnen bei, nicht mehr zu opfern und nicht mehr anzubeten!" Mit wüstem Geschrei forderten sie von dem für die Provinz Asien aufgestellten Oberpriester Philippus: „Los mit dem Löwen auf Polykarp!" Dieser aber erklärte, das sei ihm nicht mehr gestattet, denn die Tierhetzen seien bereits programmgemäß abgelaufen. Da sprachen sie sich ab, wie mit einer Stimme zu brüllen: „Lebendig verbrennen soll man den Polykarp!"

Alsbald schichteten nun die Henker das beigeschleppte Brennmaterial um ihn auf. Man nagelte ihn nicht an, sondern band nur seine Arme. Er hob seine Augen gen Himmel und betete:

„Herr, Gott, Allherrscher,
Vater deines geliebten
und gelobten Knechtes
Jesus Christus,
durch den wir Kenntnis
von dir erhalten haben,
du Gott der Engel und Kräfte
und der ganzen Schöpfung
und des ganzen Geschlechtes der Gerechten,
die vor dir leben,
ich preise dich,
dass du mich dieses Tages
und dieser Stunde gewürdigt hast,
in der Zahl der Märtyrer Anteil zu haben
an dem Kelche
deines Christus,
zur Auferstehung mit Seele und Leib
in der Unvergänglichkeit des Heiligen
Geistes. Amen."

Als er das Amen zum Himmel
emporgesandt und sein Gebet beendet hatte,
entzündeten die Heizer das Feuer.

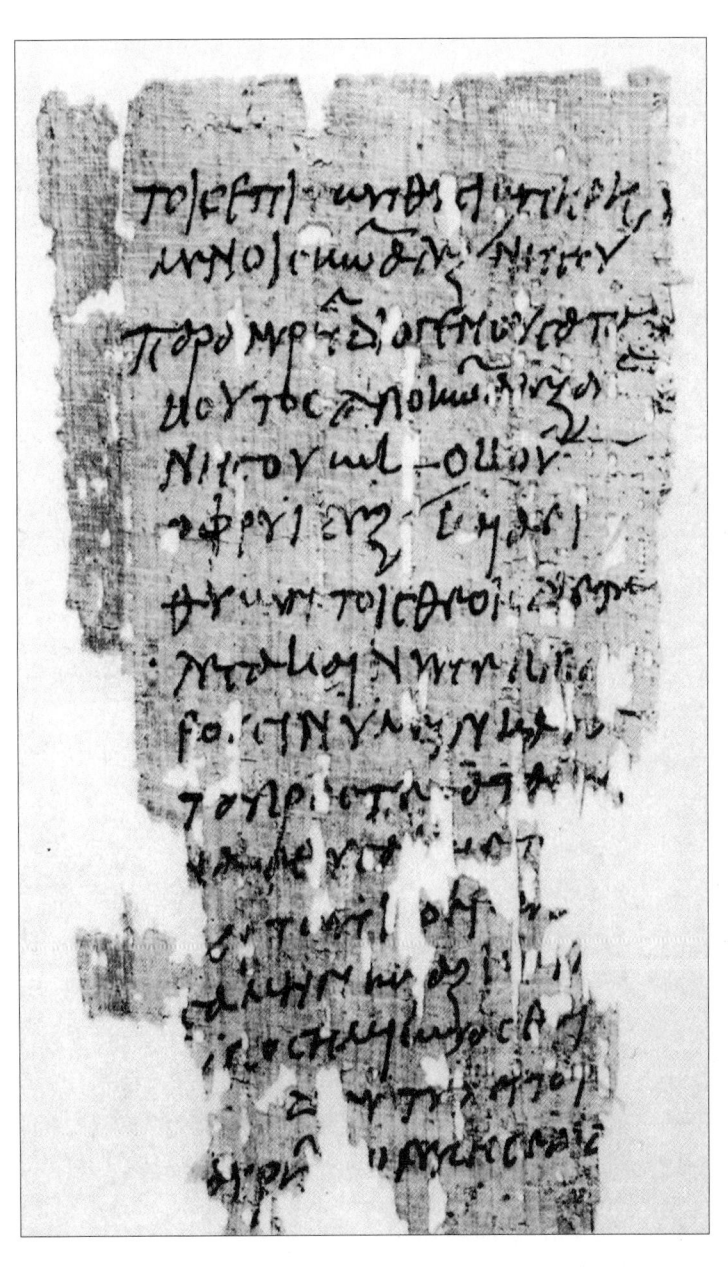

Übersetzung:

An die Opferkommission des Dorfes der Alexanderinsel:

Von Aurelius Diogenes Satabus, 72 Jahre alt, mit Narbe über der rechten Augenbraue.

Ich habe immer den Göttern geopfert und auch jetzt in eurer Gegenwart wie vorgeschrieben geopfert und gespendet, das Opferfleisch gekostet, und ich bitte euch, mir das zu bescheinigen.

Ich, Aurelius Syrus, habe ihn mit seinem Sohne opfern sehen. Im ersten Jahr des Kaisers Decius, der glücklichen und erhabenen, am 26. Juni.

Mit einer solchen Urkunde konnte man zur Zeit der Christenverfolgung im Römischen Reich seinem Glauben abschwören und damit sein Leben erhalten. Der Text war im Hauptteil vorgefertigt, er musste nur nur noch mit persönlichen Angaben ergänzt und unterschrieben werden. Dadurch konnten verfolgte Christen wieder frei kommen. Aus diesem Grund werden solche Urkunden auch ‚Freibrief' genannt.

Papyrusblatt aus der Papyrussammlung der Staatlichen Museen in Berlin

Piero della Francesca, 1452-1466

Kaiser Konstantin – das Ende der Christenverfolgungen

Der römische Schriftsteller Laktanz berichtet über die entscheidenden Ereignisse, die das Christentum von einer verfolgten zu einer erlaubten und geförderten Religion machten.
Am Anfang steht die Auseinandersetzung der vier Teilherrscher, die das römische Reich unter sich aufgeteilt hatten. Die entscheidende Auseinandersetzung fand zwischen Konstantin auf der einen, Maxentius auf der anderen Seite statt.

Schon war der Bürgerkrieg zwischen Konstantin und Maxentius entbrannt. Und obwohl sich Maxentius innerhalb Roms hielt, da ihm ein Orakel den Untergang für den Fall angekündigt hatte, dass er den Fuß vor die Tore der Stadt setzen werde, ließ er den Krieg von fähigen Militärs führen. Zahlenmäßig war das Heer des Maxentius weit überlegen … Der Jahrestag des Amtsantritts des Maxentius, der 28. Oktober, stand unmittelbar bevor und die Feierlichkeiten aus Anlass seiner fünfjährigen Regierungszeit gingen ihrem Ende entgegen. Da erhielt Konstantin im Traum die Anweisung das himmlische Zeichen Gottes an den Schilden seiner Soldaten anbringen zu lassen und so den Kampf zu beginnen. Er tat, wie er geheißen und ließ das Christusmonogramm mit einem quer gestellten ☧, dessen oberer Arm gekrümmt war, an den Schilden anbringen (… = Chi + Rho, die griechischen Anfangsbuchstaben von Christus). Mit diesem Zeichen bewaffnet, stellte sein Heer den Feind und errang einen vollständigen Sieg. Konstantin wurde „unter großer Freudenbezeugung des Senats und des Volkes als Kaiser empfangen".

Zwei Jahre nach seinem Sieg ließ Konstantin zusammen mit seinem im Osten regierenden Mitkaiser Licinius im Jahre 313 das folgende Rundschreiben öffentlich anschlagen:

Als wir, ich, Constantinus Augustus, wie auch ich, Licinius Augustus, uns glücklich zu Mailand eingefunden hatten, um alles, was mit der öffentlichen Wohlfahrt und Sicherheit zu tun hat, zu erörtern, glaubten wir, es sei unter den Fragen, von denen wir uns einen Nutzen für die Mehrheit versprachen, vor allem die der Gottesverehrung einer Neuregelung bedürftig, d. h. wir sollten allen, den Christen wie allen übrigen, die Freiheit und Möglichkeit geben, derjenigen Religion zu folgen, die ein jeder wünscht, auf dass, was an Göttlichem auf himmlischem Sitze thront, uns und allen Reichsangehörigen gnädig und gewogen sein möge. Daher hielten wir es für heilsam und ganz und gar angemessen, diesen Entschluss zu fassen, dass es schlechterdings niemandem unmöglich gemacht werden dürfe, sich der Religionsübung der Christen oder der ihm sonst am ehesten zusagenden Religion zu ergeben, damit die höchste Gottheit, deren Religionsdienst wir in freier Hingabe nachleben, uns in allem ihre gewohnte Gunst und Gnade erzeigen könne.

SCHÄTZE FINDEN ...
FRANZISKUS
UND
PETRUS WALDES

Norbert Prangenberg, 1984

Vom Schatz im Acker und der kostbaren Perle

Das Himmelreich gleicht einem Schatz, verborgen im Acker, den ein Mensch fand und verbarg; und in seiner Freude ging er hin und verkaufte alles, was er hatte, und kaufte den Acker.

Wiederum gleicht das Himmelreich einem Kaufmann, der gute Perlen suchte, und als er eine kostbare Perle fand, ging er hin und verkaufte alles, was er hatte, und kaufte sie.

Matthäus 13, 44-46

Der reiche Jüngling

Und siehe, einer trat zu ihm und fragte:
Meister, was soll ich Gutes tun,
damit ich das ewige Leben habe?
Er aber sprach zu ihm: Was fragst du mich
nach dem, was gut ist? Gut ist nur Einer.
Willst du aber zum Leben eingehen,
so halte die Gebote.
Da sprach der Jüngling zu ihm: Das habe ich
alles gehalten; was fehlt mir noch?
Jesus antwortete ihm: Willst du vollkommen
sein, so geh hin, verkaufe, was du hast, und
gib's den Armen, so wirst du einen Schatz im
Himmel haben; und komm und folge mir nach!
Als der Jüngling das Wort hörte, ging er
betrübt davon; denn er hatte viele Güter.
Jesus aber sprach zu seinen Jüngern:
Wahrlich, ich sage euch: Ein Reicher wird
schwer ins Himmelreich kommen.
Und weiter sage ich euch: Es ist leichter,
dass ein Kamel durch ein Nadelöhr gehe,
als dass ein Reicher ins Reich Gottes komme.
Als das seine Jünger hörten, entsetzten sie
sich sehr und sprachen: Ja, wer kann dann
selig werden?
Jesus aber sah sie an und sprach zu ihnen:
Bei den Menschen ist's unmöglich;
aber bei Gott sind alle Dinge möglich.

Matthäus 19,16-17 und 20-26

SPURENSUCHE EINES REPORTERS

Höchst unangenehmer Auftrag: einen Artikel schreiben über diesen Verrückten, der in den Bergen eine Gemeinschaft, eine Kommune gegründet hat, und dem jetzt der Prozess gemacht werden soll. Anklagegrund: Verführung Jugendlicher zur Flucht aus dem Elternhaus und so weiter. Interessiert mich überhaupt nicht. Gemeinschaften gibt es überall, solche und solche, die Idee ist allmählich nicht mehr neu. Aber der Chef sagt: „Interessante Sache, ein junger Mann aus reichem bürgerlichen Haus verlässt sein Wohlleben, geht ohne Geld ins Gebirge, lebt einige Jahre verborgen, der Vater lässt ihn polizeilich suchen, vergeblich. Immer mehr Jugendliche verschwinden aus der Stadt, hinterlassen Briefe, die alle ungefähr gleich lauten: ‚Sucht mich nicht, ich gehe fort, um ein besseres, sinnvolleres Leben zu führen.' Unter den Jugendlichen sind Minderjährige und unter ihnen Mädchen."
„Aha", sage ich.
„Nichts, aha", sagt der Chef, „gerade das ist dem jungen Mann nicht vorgeworfen."
„Ja, was denn dann?"
„Verhexung."
„Wie, bitte?"
„Verhexung. Die Leute sagen, anders sei nicht zu erklären, dass die Jugendlichen diesem Verrückten in Scharen nachlaufen und bei ihm aushalten, obwohl das Leben, das er sie zu führen zwingt oder auch nicht zwingt, hart ist. Der junge Mann muss also magische Gewalt haben und auch anwenden."
„Aber ich bitte Sie, Chef, das glauben Sie doch selber nicht!"
„Wer sagt denn, dass ich es glaube?"

Ein Junge aus Assisi erzählt:
„Also: Der Verrückte heißt Franz Bernardone. Seine Eltern wohnen da drüben in dem großen Haus am Markt. Es sind die zweitreichsten Geschäftsleute am Ort: Export, Import, Textilien. Der Franz ist der Älteste und der Erbe. Das heißt, er war der Erbe. Aber das ist alles aus."
„Was: alles?"
„Das schönste Leben mit viel Geld in den Taschen und mit den Mädchen und Partys und allem."
„Wieso?"
„Mittendrin auf und davon. Und jetzt kriegt der jüngere Bruder das Geschäft und alles, der hat vielleicht ein Glück!"
„Und warum hat der Franz das alles nicht mehr gewollt?"

Luise Rinser

Franziskus

In Assisi

In Assisi, einer Stadt zwischen Florenz und Rom, lebte Pietro Bernardone, ein reicher Tuchhändler. Seine Frau Pica stammte aus der Provence (Südfrankreich). Als sie um 1181/82 einen Sohn bekamen, tauften sie diesen zwar Giovanni, nannten ihn aber Francesco, lateinisch Franciscus (d. h. Französlein). Franziskus war außerordentlich begabt: Als Dichter und Sänger von immer neuen Liedern war er bei den reichen jungen Leuten von Assisi sehr beliebt. Wahrscheinlich träumte er davon ein Ritter und Sänger zu werden, der an den Höfen der Fürsten und Adeligen seine Liebes- und Ritterlieder vortrug und mit ihnen in den Krieg zog. Sein Vater hatte ihn allerdings zum Mitarbeiter und Nachfolger im Tuchgeschäft bestimmt. Aber Franz sollte weder Ritter noch Kaufmann werden. Einige Erlebnisse führten ihn in eine ganz andere Richtung.

Die Braut

Einmal wollte Franziskus mit einem Edelmann aus Assisi nach Süditalien in den Krieg ziehen. Voller Begeisterung machte er sich auf den Weg.
Als er bis Spoleto gekommen war, um von da weiter nach Apulien zu ziehen, verfiel er in tiefes Grübeln. Und als er sich niedergelegt hatte und halb schlief, kam es ihm plötzlich vor, wie wenn ihn jemand fragte, wohin er ziehen wolle. Franz enthüllte seinen ganzen Plan. Die Stimme sagte: „Wer kann dir am besten helfen, der Herr oder der Knecht?" Er gab zur Antwort: „Der Herr!" Da kam es zurück: „Warum verlässt du dann den Herrn dem Knecht zuliebe?" Darauf Franz: „Herr, was willst du, dass ich tun soll?" „Kehre zurück in die Heimat und es wird dir gesagt werden, was du tun sollst!"
Als Franz erwachte, begann er über das Erlebnis gründlich nachzudenken. ... Und am Morgen zog er eilends nach Assisi zurück.
Nach einem fröhlichen Abend mit Freunden versank Franz auf dem Heimweg von neuem in tiefes Sinnen. Denn plötzlich hatte ihn der Herr berührt. Und eine solche Süßigkeit erfüllte sein Herz, dass er weder reden noch sich bewegen konnte. ... Wie nun die Freunde sich nach ihm umwandten, sahen sie betroffen: Er war wie in einen andern Menschen verwandelt. „Was hast du denn für Gedanken?", fragte ihn einer, „was hast du, dass du uns nicht mehr folgst? Wohl eine Frau, die du heimführen willst?" Da antwortete Franz lebhaft: „Ja, wirklich! Aber die Braut, an die ich denke und die ich heimführen möchte, ist edler, reicher und schöner, als ihr je eine gesehen habt." Da lachten sie über ihn. Er hatte aber nicht an eine wirkliche Frau gedacht; die Braut, die er meinte, war die wahre Gottesverehrung: Dieser wollte er sich ergeben, diese war durch ihre Armut edler, reicher und schöner als jede andere Frau. Von da an begann er gering von sich zu denken und das zu verachten, was er früher gesucht hatte.

Der Aussätzige

Von entscheidender Bedeutung für Franz wurde schließlich die Begegnung mit einem Aussätzigen. Eines Tages hörte Franz Gottes Stimme: „Franz, was du bisher geliebt und begehrt hast, das musst du verachten und hassen, wenn du meinen Willen erkennen willst. Wenn du einmal damit begonnen hast, wird dir unerträglich und bitter sein, was du früher lieb hattest; und aus dem, was dich schaudern ließ, wirst du Glück und Frieden schöpfen."
So im Herrn gestärkt, begegnete er nahe bei Assisi einem Aussätzigen. Bisher hatte er vor solchen einen mächtigen Ekel empfunden. Aber nun tat er sich Gewalt an, stieg vom Pferd, gab dem Aussätzigen ein Goldstück und küsste ihm die Hand. Auch dieser

Giotto, nach 1300

gab ihm den Friedenskuss. Von da an begann er immer mehr, sich zu überwinden, bis er zuletzt durch Gottes Gnade zum vollen Sieg über sich selbst gelangte.

Kurz danach nahm er eine große Summe Geld mit sich und begab sich ins Siechenhaus. Als alle Aussätzigen sich um ihn zusammenfanden, reichte er jedem eine Gabe und küsste ihm die Hand. Und als er wegging, war ihm wirklich in Süßigkeit verwandelt, was vorher bitter gewesen: die Aussätzigen anzusehen und anzurühren.

Im Gebet

Als Franziskus nach einigen Tagen in der Kirche San Damiano vor einem Bilde des Gekreuzigten betete, kam vom Kreuz die milde, gütige Stimme: „Franz, siehst du denn nicht, wie mein Haus zerstört wird? Geh und stelle es wieder her!"

Bebend und staunend sprach er: „Gern will ich es tun, Herr!" Er dachte nämlich, es sei das Kirchlein von San Damiano gemeint, dessen Mauern vor Alter bald einzustürzen drohten.

Konflikt mit dem Vater

Eines Tages nahm Franz sein Pferd und ritt mit einem Ballen Tuch nach Foligno. Dort verkaufte er beides und brachte den Erlös dem armen Priester von San Damiano. Als dieser sich weigerte, das viele Geld anzunehmen, warf es Franz auf den Fenstersims. Sein Vater geriet außer sich vor Zorn und auch seine Bekannten konnten ihn nicht mehr verstehen. Viele hielten ihn für einen Narren und bewarfen ihn mit Dreck und Steinen. Sein Vater sperrte ihn ein und wollte ihn schließlich vor Gericht bringen, um das Geld zurückzubekommen, das Franz verschenkt hatte.

Weil die Richter ihm nicht Gewalt antun wollten, erklärten sie dem Vater: „Da Franz den Dienst Gottes angetreten hat, ist er unserer Macht entzogen." So musste der Vater erkennen, dass er bei den städtischen Behörden nichts ausrichten konnte; darum wandte er sich mit seiner Klage an den Bischof von Assisi. Dieser war ein Mann von Einsicht und weisem Urteil. Er ließ Franz zu sich kommen, damit er auf die Klage des Vaters Rede und Antwort stehe.

Der Bischof sprach zu ihm: „Dein Vater ist aufs Äußerste wider dich aufgebracht und sehr erzürnt. Willst du also Gott dienen, so gib ihm das Geld, das du hast, heraus! Hat er einmal das Geld zurückerhalten, so wird sich sein Zorn besänftigen. Also Mut, mein Sohn, vertraue auf Gott, handle männlich und fürchte dich nicht: Gott wird dir helfen und dir reichlich zukommen lassen, was zum Bau der Kirche nötig ist."

Da erhob sich Franz in freudiger Bewegung und holte, vom Wort des Bischofs ermuntert, das Geld herbei und sprach: „Herr, nicht nur das Geld, das ihm gehört, will ich ihm freudigen Herzens wiedergeben, sondern auch die Kleider."

Rasch begab er sich in ein Gemach des Bischofs, entledigte sich aller seiner Kleider und kam nackt zurück. Er legte Kleider und Geld vor dem Bischof und vor seinem Vater in Gegenwart aller andern nieder und sprach: „Hört, ihr alle, und versteht es wohl: Bis jetzt nannte ich Pietro Bernardone meinen Vater. Aber da ich nun den Vorsatz habe, dem Herrn zu dienen, gebe ich ihm das Geld zurück, um das er sich aufgeregt hat, nebst allen Kleidern, die ich aus seinem Eigentum besitze. Von nun an will ich nur noch sagen: Vater unser, der du bist im Himmel, nicht mehr: Vater Pietro Bernardone."

Der Vater erhob sich und voll Schmerz und Zorn nahm er das Geld und die Kleider an sich. Der Bischof aber hatte Franz aufmerksam beobachtet und war voller Bewunderung über solchen Eifer und solche Festigkeit. Er schloss ihn in seine Arme und hüllte ihn in seinen Mantel. Ihm war klar: Die Tat des jungen Mannes war der Eingebung Gottes entsprungen.

Wenn du vollkommen sein willst, gib alles an die Armen

Zuerst trug der heilige Franz das Gewand eines Einsiedlers. Er hatte einen Stab, Schuhe an den Füßen und einen Lederriemen als Gürtel. Da vernahm er eines Tages in der Messfeier die Worte, die Christus zu seinen Jüngern gesagt hatte, als er sie zur Predigt aussandte: „Gold, Silber und Kupfergeld sollt ihr euch nicht verschaffen und in den Beutel stecken. Nehmt keine Tasche auf den Weg mit; auch nicht zwei Hemden; keine Schuhe, keinen Stab: Denn wer arbeitet, hat Anspruch auf Lebensunterhalt." (Mt 10, 9f.) Als er dies nachher durch die Erklärung des Priesters noch genauer verstanden hatte, erfüllte ihn eine unsagbare Freude. „Das ist es!", sprach er, „und ich will dies erfüllen aus ganzer Seele."

Unverzüglich tat er alles von sich, was er noch doppelt besaß; auch Stab, Schuhe und Tasche brauchte er fortan nicht mehr. Hingegen fertigte er sich ein armseliges, rauhes Gewand an und statt des Ledergürtels nahm er einen Strick.

Später fand er im Evangelienbuch noch zwei weitere Worte Jesu, die für ihn immer wegweisend blieben:
„Wenn du vollkommen sein willst, so geh hin, verkaufe deinen Besitz und gib ihn den Armen, so wirst du einen Schatz im Himmel haben; und dann komm und folge mir nach!", (Mt 19, 21).

„Wenn jemand mir nachfolgen will, so sage er sich los von sich selbst und nehme sein Kreuz auf sich und folge mir!", (Mt 16, 24).

Domenico Ghirlandaio, 15. Jh.

Der Reporter trifft Paola

Sie sagt: „Es gab noch einen anderen Skandal seinetwegen. Das war, als Clara sich seiner Gemeinschaft anschloss."
„Wer ist Clara?"
„Sie ist eine junge Gräfin, ihrem Vater gehört fast das ganze Land ringsum. Er ist viel reicher noch als der Vater Bernardone. Clara war sehr schön und sie hatte an jedem Finger zehn Verehrer, aber sie wollte nicht heiraten und niemand wusste warum. Es kann sein, dass sie schon als Kind den Franz gekannt hat, später jedenfalls hat sie ihn geliebt, sicher, und er liebte sie auch, das weiß ich, aber es war nie eine der üblichen Liebesgeschichten. Der Franz hatte viele Mädchen, aber die Clara war für ihn etwas ganz anderes, von Anfang an. … Später verschwand Clara eines Nachts und ging zu ihm. Franz wusste, dass sie kommen würde, und alle in der Gemeinschaft wussten es und sie warteten feierlich auf sie. Sie kam in ihrem schönsten Ballkleid und mit all ihrem Schmuck und sie führten sie in die Hütte, die sie damals bewohnten oben auf dem Berg und dort zog sie ihre Kleider aus, legte den Schmuck ab und Franz gab ihr einen alten Bauernkittel und Holzpantoffeln und dann schnitt er ihr das schöne lange blonde Haar ab."

Luise Rinser

Petrus Waldes

Zu Lyon in Gallien war ein Bürger mit Namen Waldes; der hatte durch den ungerechten Zins viel Geld zusammengerafft.
Dieser wurde eines Sonntags, da er sich einem Haufen zugesellt, den er vor einem Spielmann versammelt gesehen, über dessen Worte von Reue betroffen; er führte ihn in sein Haus, um ihm sorglich zuzuhören. Denn es war in dessen Erzählung die Rede von dem seligen Ende, das der heilige Alexius im Hause seines Vaters nahm.
Früh am nächsten Morgen eilte der genannte Bürger auf die theologischen Schulen, um für seine Seele Rat zu suchen. Da man ihm die vielen Wege zu Gott gezeigt, begehrte er vom Magister zu wissen, welcher Weg denn sicherer und vollkommener als alle anderen sei. Ihm legte der Magister das Herrnwort vor: Willst du vollkommen sein, so geh und verkaufe alles, was du hast usw. (Mt 19, 21). Da er nun zu seiner Frau zurückkehrte, stellte er sie vor die Wahl, von allen seinen Gütern, Ländereien und Gewässern, Waldungen und Wiesen, Häusern, Einkünften, Weinbergen, Mühlen und Backstuben den beweglichen oder den unbeweglichen Teil zu behalten. Diese wählte, obzwar hochbetrübt, weil es geschehen musste, die unbeweglichen Güter. Jener aber erstattete von seinem beweglichen Gut denen das ihre zurück, von denen er etwas zu Unrecht empfangen hatte; einen großen Teil seines Geldes setzte er den zwei jungen Töchtern aus, die er ohne Wissen ihrer Mutter dem Orden von Fontévrault anvertraute; den größten Teil jedoch wendete er für die Armen auf.
Es herrschte nämlich damals in ganz Frankreich und Deutschland schwerste Hungersnot. Waldes, der erwähnte Bürger, teilte nun von Pfingsten (25. 5. 1173) bis auf Petri Kettenfeier (1. 8.) an drei Tagen in der Woche allen, die zu ihm kamen, Brot und Zukost mit Fleisch aus.
An Mariä Himmelfahrt (15. 8.) endlich warf er auf den Straßen eine Summe Geldes unter die Armen und rief: „Niemand kann zwei Herren dienen, Gott und dem Mammon!" (Mt 6, 24). Da glaubten die Bürger, die herzueilten, er habe den Verstand verloren. Er aber steigt auf den erhöhten Platz und spricht: „O ihr Bürger und meine Freunde! Ich rase nicht, wie ihr glaubt; ich habe mich aber an diesen meinen Feinden gerächt, die mich zu ihrem Sklaven gemacht hatten, dass ich stets mehr ums Geld sorgte als um Gott, dass ich mehr dem Geschöpf diente als dem Schöpfer (Röm 1, 25). Ich weiß, viele werden mich tadeln, dass ich dies öffentlich getan habe. Ich habe es aber um meiner selbst willen und um euretwillen getan: um meiner selbst willen, damit mich von Sinnen nennen, die mich von nun an noch Geld besitzen sehen; aber auch um euretwillen habe ich es zu einem Teil getan, damit ihr lernen möchtet, nicht auf den Reichtum, sondern auf Gott eure Hoffnung zu setzen (1 Tim 6, 17)."
Da er nun tags darauf aus der Kirche kam, bat er einen Bürger, einst seinen Genossen, er möchte ihm um Gottes willen zu essen geben. Der führt ihn zu sich zur Herberge und spricht: „Solange ich leben werde, gewähre ich euch die Notdurft!"
Als dies seiner Frau zu Ohren kam, lief diese nicht wenig betrübt, ja wie von Sinnen zum Erzbischof der Stadt und führte Klage, nämlich dass ihr Mann sein Brot von einem anderen, nicht von ihr erbettelt hätte. Alle, die dabei waren und den Bischof selbst bewegte dies zu Tränen.
Darauf führte auf den Befehl des Bischofs jener Bürger seinen Gast mit sich dem Bischof vor. Das Weib aber packt ihren Mann beim Gewand und spricht: „Ist's nicht besser, o Mensch, dass ich an dir durch Almosen meine Sünden sühne, als dass Fremde dies tun?" Und seitdem durfte er nach dem Gebot des Erzbischofs in dieser Stadt nicht mehr bei anderen seine Nahrung empfangen als bei seiner Frau.

Holländisches Flugblatt aus dem 17. Jh.

‚Ketzer' und Heilige

Armut war ein Thema in der Kirche von Anfang an. Jesus war arm wie auch die Menschen, die sich um ihn scharten. Jesus pries die Armen glücklich („Selig seid ihr Armen, denn das Reich Gottes ist euer" – Lk 6, 20). Er konnte auch von einzelnen Menschen Verzicht auf Reichtum fordern. In der Urgemeinde gab es Formen freiwilliger Gütergemeinschaft. Die ersten Christen nahmen sich bewusst der Armen an.

Das Mittelalter kannte zwei Grundformen von Armut, die unfreiwillige und die freiwillige. War die unfreiwillige Armut eine Folge materieller Lebensbedingungen, so gründete die freiwillige vor allem in der von Jesus gelebten und gepriesenen einfachen Lebensweise. Die beiden Formen der Armut beeinflussten und begegneten einander in vielfältiger Weise.

Im 12. Jahrhundert vermehrte sich die Bevölkerung in Europa stark. Es entstanden immer mehr Städte. Die wirtschaftliche Entwicklung beruhte nicht mehr wie bisher hauptsächlich auf Naturalien, sondern auf Geld. Mitten im christlichen Europa entstand – als Folge des wirtschaftlichen Wandels – eine breite Schicht von Armen. Die Folgen dieser Entwicklung waren verschieden. Es kam zu einzelnen Aufständen. In den Städten gründete man Fürsorgeeinrichtungen, die sich um die Armen kümmerten. In diesem Zusammenhang entstanden auch große religiöse Bewegungen, die die freiwillige Armut propagierten. Sie griffen auf das Vorbild Jesu und seiner Jünger zurück. Sie kritisierten den wirtschaftlichen Wandel, teilweise auch eine Kirche, die reich geworden, sich in Selbstdarstellung und Machtentfaltung verlor. Die mittelalterliche Kirche reagierte unterschiedlich auf die religiöse Armutsbewegung. Teile dieser Bewegung erschienen ihr so gefährlich, dass sie in aller Härte gegen sie vorging. Andere Teile integrierte sie.

Während Franziskus in die Kirche aufgenommen wurde, schloss 1215 das 4. Laterankonzil die Waldenser wegen ihrer unerlaubten Predigttätigkeit aus der Kirche aus. Danach begannen schwere Verfolgungen der Waldenser in Norditalien und Deutschland. Gegen sie wurden die Inquisition und die Armee eingesetzt. Als im 17. Jahrhundert viele europäische Länder evangelisch waren, kam es zu heftigen Protesten gegen diese blutigen Verfolgungen.

Herbert Gutschera / Jörg Thierfelder

Der grosse Schatz

Das Himmelreich gleicht einem Schatz, verborgen im Acker, den ein Mensch fand und verbarg; und in seiner Freude ging er hin und verkaufte alles, was er hatte, und kaufte den Acker.

In der Geschichte der Waldenser gibt es eine eindrückliche Veranschaulichung dieses Gleichnisses Jesu.

Diese ersten Waldenser waren so etwas wie Wanderprediger. Oft haben sie sich als Kaufleute verkleidet. Als solche gingen sie dann von Schloss zu Schloss, von Haus zu Haus und boten ihre schönen, kostbaren Waren an: Ringe und Halsketten, Seidenüberhänge und Textilien aller Art. Wenn sich die Anwesenden um einen solchen Kaufmann versammelt und alles gekauft hatten, was sie kaufen wollten, sagte der verkleidete Waldenser-Prediger: „Ich habe noch etwas Schöneres anzubieten! Einen wahren, einen kostbaren, ja den kostbarsten Schatz der Welt!" Dann war die Aufmerksamkeit, die Neugierde der Leute groß. Und der Kaufmann fing plötzlich an, lauter Jesus-Worte, hauptsächlich aus der Bergpredigt, vorzutragen. Und er sagte dazu: „Das sind die kostbarsten Schätze: die Worte Jesu."

Vom sichtbaren zum unsichtbaren Schatz, von den offenbaren, schon bekannten und anerkannten Schätzen zu dem noch unbekannten und noch verborgenen Schatz ist der christliche Weg, der Weg des Glaubens. Es ist der Weg, zu dem uns Jesus einlädt.

Jedermann meint, er brauche Schätze; ein Leben ohne sie gleicht einem Leben ohne Wert. Einige werden materielle Schätze vorziehen, andere eher geistliche und andere kulturelle Schätze. Ob nun Dinge oder Menschen, jeder möchte einen Schatz haben oder viele Schätze. Wir suchen Schätze, das heißt: etwas Wertvolles, etwas Bleibendes, was Wert hat und wert ist und Wert geben kann.

Jesus meint nun: Der Wert des Lebens befindet sich nicht in den offenbaren Schätzen, sondern im verborgenen Schatz; also nicht in den Schätzen, die wir schon irgendwie haben, sondern gerade in dem Schatz, der völlig verborgen ist: in dem unbekannten und ungeahnten Schatz. Welches ist nun dieser große, verborgene Schatz?

Man kann darauf mancherlei Antworten geben. Ich beschränke mich hier auf eine solche aus der Geschichte der Waldenser.

Da gibt es einen Bericht, den ein Augenzeuge 1202 in Rom verfasst hat. Es handelte sich um einen Mönch der römischen Kurie, der in Rom einigen Waldenser-Predigern begegnet war, die er mit folgenden Worten beschreibt: „Diese Leute haben keinen festen Wohnsitz. Sie ziehen je zwei und zwei durchs Land, mit nackten Füßen und in Wollkleidern. Sie haben keinen eigenen Besitz; denn sie haben alles gemeinsam nach dem Vorbild der Apostel." Und jetzt kommt der wichtige Satz in diesem Bericht: „Sie folgen nackt dem nackten Christus nach." Das war der verborgene Schatz jener ersten mittelalterlichen Waldenser, der ‚nackte Christus'; auf Lateinisch: ‚nudus Christus'. Wieso? Wieso kann ein nackter Christus geradezu der Schatz sein?

Die Antwort liegt auf der Hand, wenn wir uns vergegenwärtigen, wer der ‚bekleidete Christus' in jener Zeit war. Der bekleidete Christus war damals der als Kreuzfahrer bekleidete, der mit Schwert und Harnisch bekleidete Christus, welcher das Heilige Land erobern sollte. Das war der ‚bekleidete Christus' jener Zeit, der mit Waffen und nicht mit dem Wort, der mit dem Schwert und nicht mit dem Kreuz die Menschen besiegen sollte. Auf diesem Hintergrund und gegen diesen ‚bekleideten Christus' hatten die Waldenser den ‚nackten Christus' ohne Schwert, ohne Harnisch, ohne Panzer vorgezogen. Und das in einer Zeit, in der der Kreuzzug Höhepunkt des christlichen Lebens geworden war, Zusammenfassung der päpstlichen Politik und damit der ganzen westlichen Christenheit. Gerade in jener Zeit war der verborgene Schatz der Kirche und des Glaubens: der nackte Christus! Der verborgene Schatz ist auch der Kirche oft verborgen und nicht nur der Welt.

Wie steht es heute? Welches ist heute der Schatz? Was kann heute dieser Schatz sein, auf den uns Jesus mit seinem Gleichnis aufmerksam machen möchte? Der Schatz, der noch nicht erkannt ist, der verborgene Schatz?

Auszug aus einer Predigt von Paolo Ricca (Professor an der theologischen Fakultät der Waldenserkirche in Rom)

Rumänische Ikone, 19. Jh.

Die Gemeinde von Sant' Egidio

Ein normaler Werktag. Montagabend, halb acht; die Kirche Sant' Egidio in einem Stadtteil Roms ist bis auf den letzten Platz gefüllt – rund 300 Menschen sitzen in den Bänken. Etwa hundert Männer und Frauen stehen im Mittelgang. Es sind überwiegend jüngere Menschen, jene Altersgruppe, die in anderen Gemeinden – ob in Deutschland oder Italien – immer seltener anzutreffen ist. Jeden Abend versammeln sie sich hier.

Gegründet wurde die Gemeinde 1968 nicht von einem Bischof oder einem Prälaten, sondern von Schülern des feinen römischen Gymnasiums Liceo Virgilio. Eine Gruppe von Gymnasiasten begann nach den Leitsätzen des Evangeliums den Nächsten zu helfen. Ihre Grundmaxime lautete damals wie heute: „Solidarität mit den Armen". 1968 kümmerte man sich vor allem um jene Süditaliener, die nach Rom strömten, um dort Arbeit zu finden. Viele von ihnen strandeten an den Randvierteln Roms in erbärmlichen Wellblechhütten, lebten unter menschenunwürdigen Bedingungen, den Kindern war oftmals ein regelmäßiger Schulbesuch nicht möglich. Die Gymnasiasten vom Liceo Virgilio wollten vor allem diesen jungen Altersgenossen helfen.

Der italienische Diplomatensohn Cesare schildert, wie er sich für die Mitarbeit in Sant' Egidio entschied:

„Ich war fünfzehn Jahre alt, als ich die Gemeinschaft kennen gelernt habe. Das war sehr einfach: Ein Klassenkamerad hat mich angesprochen und eingeladen mitzukommen in die Randviertel der Stadt. Und das war für mich das Kennenlernen eines anderen Roms, das ich nicht kannte, dieses Rom, das man normalerweise auch nicht sieht, wenn man als Tourist in unsere Stadt kommt. Das man auch nicht sieht, wenn man ein wohlhabendes Leben führt. Dort gab es eine Nachmittagsschule für Kinder, für arme Kinder aus der Peripherie. Dort gab es viele, die gleich alt waren wie ich, die diesen Kindern halfen bei den Hausaufgaben, beim Lesen- und Schreibenlernen. Und ich sah, wie ich irgendwie mit fünfzehn Jahren auch nützlich sein konnte für andere Menschen, etwas Konkretes und Nützliches tun konnte. Das war das eine.

Das zweite war die Sympathie und die Freundschaft, die ich von Anfang an in der Gemeinschaft erfuhr. Ich spürte, dass es hier, in dieser Gemeinschaft, eine treue, zuverlässige Freundschaft gab und gibt. Und das hat mich gleich am Anfang erobert. Sicher war die Entscheidung nicht an diesem Tag gefallen, aber die Eroberung ging langsam weiter in den folgenden Monaten und Jahren. Heute bin ich seit siebzehn Jahren dabei und vieles hat sich verändert. Auch die Gemeinschaft hat sich sehr verändert."

Viele finden offenbar als Schülerin oder Schüler den Weg in die Gemeinschaft von Sant' Egidio. Das soziale Engagement, das Klima der Freundschaft und die zeitgemäße Spiritualität sind offenbar das Erfolgsgeheimnis dieser Initiative. Keiner drängt auf eine feste Mitgliedschaft, man lässt dem Einzelnen Zeit, in die Bewegung hineinzuwachsen, um seinen Platz und seine Aufgabe zu finden. Zum Beispiel Lucia:

„Ich bin mit vierzehn Jahren zu Sant' Egidio gekommen. Mitschülerinnen am Gymnasium hatten mir von der Initiative erzählt und mich mitgenommen. Ich sollte mir ihre Arbeit einfach einmal anschauen. Es war also die Freundschaft mit meinen Klassenkameradinnen, die mich nach Sant' Egidio gebracht hat. Und dann kam das Engagement für die Armen dazu, in den Randgebieten von Rom, vor allem für die Kinder. Und schließlich habe ich langsam das Gebet und das Evangelium entdeckt und mich mit der Bewegung angefreundet."

Aus der Gymnasiastenbewegung ist inzwischen eine internationale Gemeinschaft von über 15.000 Männern und Frauen geworden – die meisten leben in Rom oder anderen Städten Italiens, rund 2.000 in anderen Ländern auf allen Kontinenten.

Die meiste Arbeit geschieht im Kleinen, im Verborgenen: Betreuen alter Menschen, Nachhilfeunterricht für ausländische Schülerinnen und Schüler, Verteilen von warmen Mahlzeiten an Obdachlose und Drogenabhängige, Krankenbesuche einsamer Menschen.

Cesare kümmert sich in seiner Freizeit um schwer kranke Menschen:

„Ich gehe einige Aidskranke besuchen, zusammen mit anderen aus der Gemeinschaft. Wir gehen in die Krankenhäuser Roms. Es ist eine sehr schwierige Situation, besonders weil es eine Krankheit ist, die sehr mit Einsamkeit verbunden ist. Es gibt eine doppelte Last: die der Krankheit, aber auch die der Einsamkeit. Diese neue Pest, die viele auch erschreckt, über jedes vernünftige Maß hinaus. Meine Aufgabe ist oft einfach die Nähe, die Freundschaft, die Begleitung in allen Momenten."

Ein Deutscher, der seit einigen Jahren in Rom lebt, hat sich der Gemeinde Sant' Egidio angeschlossen. Warum?

„Einmal, würd' ich sagen: Der Einsatz, der Einsatz für die Armen, für diejenigen, um die sich sonst niemand kümmert in so einer großen Stadt. Illegale Einwanderer, Obdachlose, die Alten, die so oft vergessen sind. Dann das Gebet, dass das alles aus dem Wissen kommt, wir tun's nicht für uns, wir tun's letztlich zusammen mit Gott, mit Christus, mit dem Herrn. Das ist, wie ich es sehe, das Wichtige, das, was mich beeindruckt.

Gerade für junge Menschen ist Sant' Egidio so attraktiv, einmal dieses ganz Konkrete, dieser konkrete Einsatz, dass da etwas ist, wofür man sich einsetzen kann. Und dann die Solidarität mit denen, die's brauchen. Es wird nicht geredet, sondern etwas getan und das aus dem Geist des Evangeliums heraus."

Das Ineinandergreifen von Wort und Tat wird an einem Ort besonders sichtbar – in der Via Dandolo No. 10. Das schmucklose Gebäude mit dem großen Eisentor ist das Ziel für viele Hilfe Suchende in der italienischen Hauptstadt. Viermal in der Woche öffnen sich hier in den Räumen einer ehemaligen Druckerei die Türen für praktische Hilfe. Rund 1.200 Menschen werden pro Tag hier versorgt. ...

Die Richtschnur für die Arbeit mit den Armen ist das Evangelium, zum Beispiel die Geschichte vom barmherzigen Samariter. Guiellmo, der über Freunde Sant' Egidio entdeckte und in der Via Dandolo arbeitet, erklärt: „Wir können nicht sagen: Bruder, geh hin in Frieden, aber mit einem leeren Magen ... So, wie der Samariter die Wunden des Verletzten verbunden und ihn zur Herberge gebracht hat, so tun wir das auch mit den Menschen, die herkommen ..."

Große Vorbilder für Guiellmo und seine Freunde sind Franz von Assisi und der heilige Benedikt mit seiner Regel 'Ora et labora', bete und arbeite. Von ihnen leiten die Mitglieder von Sant' Egidio ihre Grundregel ab: Tagsüber den Armen helfen; am Abend über die Arbeit nachdenken, reflektieren; Kraft holen beim Abendgebet in der Kirche Sant' Egidio, dem ehemaligen Kloster. ...

Inzwischen ist Sant' Egidio bekannt geworden. 1986 lud die Gruppe ein zu einem Weltgebetstreffen nach Assisi. Dann führten in den Räumen der Gemeinde die rivalisierenden Gruppen des afrikanischen Staates Moçambique Gespräche, die nach einem langen, brutalen Krieg zum Frieden führten. 1996 wurde die Gemeinschaft sogar für den Friedensnobelpreis vorgeschlagen.

J. Hoeren / E. Kusch
(aus einer Rundfunkreportage)

DER WEG IN EINE NEUE ZEIT – DIE REFORMATION

Paul Thumann, 1872

Angst vor der Hölle

Der junge Mönch Adson von Melk hat seinen Lehrer William von Baskerville in ein italienisches Kloster begleitet. William soll dort einen grausamen Mord aufklären. Bereits der Anblick des Klosters ließ Adson erschaudern. Nun steht er am ersten Abend vor dem Portal der Klosterkirche und ist tief beeindruckt von den vielen biblischen Szenen, die in den Stein gemeißelt sind. Schon meint er, sein neuer Aufenthaltsort sei gar nicht so schlimm, da fällt sein Blick auf eine andere Szenerie am Portal.

Ich sah eine Lüsterne, nackt und entfleischt, rot von ekligen Schwären, Schlangen fraßen an ihrem Leib, daneben ein trommelbäuchiger Satyr mit pelzigen Greifenklauen und einer obszönen Fratze, die ihre eigene Verdammnis hinausschrie;
und ich sah einen Habsüchtigen, starr in der Starre des Todes auf seinem prunkvollen Lotterbett, nun feige Beute einer Schar von Dämonen, deren einer ihm aus dem röchelnden Munde die Seele zog, sie hatte die Form eines kleinen Kindes (Wehe, nie wird es für ihn eine Auferstehung zum ewigen Leben geben!);
und ich sah einen Hoffärtigen, dem ein Alp auf der Schulter hockte und mit spitzigen Krallen die Augen auskratzte,
und ich sah noch mehr Dämonen, ziegenköpfige, löwenmähnige, panthermäulige, gefangen in einem Flammenwald, dessen Brandgeruch ich fast zu riechen meinte.

Und um sie herum, mit ihnen vermischt, zu ihren Köpfen und zu ihren Füßen, sah ich noch andere Fratzen und Glieder, einen Mann und eine Frau, die sich an den Haaren zerrten, zwei Vipern, die eines Verdammten Augen schlürften, einen irre Lachenden, der mit Krallenhänden den Rachen einer Hydra aufriss, und sämtliche Tiere aus Satans Bestiarium waren versammelt zum Konsistorium und postiert als Wache und Garde des Sitzenden auf dem Thron, seinen Ruhm zu singen durch ihre Unterwerfung: Faune, Hermaphroditen, Bestien mit sechsfingrigen Händen, Sirenen, Zentauren, Gorgonen, Medusen, Harpyien, Erinnyen, Dracontopoden, Lindwürmer, Luchse, Parder, Chimären, Leguane, sechsbeinige Agipiden, die Feuer aus ihren Nüstern sprühten, vielschwänzige Echsen, behaarte Schlangen und Salamander, Vipern, Nattern, Ratten, Raben, Greife, Geier, Eulen, Käuzchen, Wiedehopfe, Wiesel, Warane, Krokodile, Krebse mit Sägehörnern, Leukrokuten mit Löwenkopf und Hyänenleib, Mantikoren mit drei Zahnreihen im Maul, Hydren mit Zahnreihen auf dem Rücken, Drachen, Saurier, Wale, Seeschlangen, Affen mit Hundeköpfen, Makaken, Marder, Ottern, Igel, Basilisken, Chamäleons, Geckos, Skorpione, Sandvipern, Schleichen, Frösche, Polypen, Kraken, Muränen, Molche und Lurche.

Die ganze Schauergesellschaft der niederen Kreaturen schien sich ein Stelldichein gegeben zu haben, um der Erscheinung des Sitzenden auf dem Throne als Vorhof zu dienen, als Unterbau und Kellergewölbe, als unterirdisches Land der Verstoßenen, sie, die Besiegten von Armageddon, im Angesicht dessen, der da kommen wird, endgültig zu trennen zwischen den Lebenden und den Toten.

Umberto Eco

Hieronymus Bosch, 15. Jh.

EINE ENTDECKUNG

Während meiner Zeit als Mönch las ich viel in der Bibel, vor allem im Brief des Paulus an die Römer. Dort stand ein Vers, der mich sehr ärgerte: „Gott zeigt seine Gerechtigkeit im Evangelium, in der frohen Botschaft von Jesus." (Röm 1, 17) Ich aber hasste das Wort „Gottes Gerechtigkeit", weil ich gelernt hatte, dass Gott die Bösen straft. Ich konnte den gerechten, die Sünder strafenden Gott nicht lieben. Zwar lebte ich als Mönch sehr fromm, aber ich fühlte mich vor Gott doch als Sünder. Mein Gewissen quälte mich sehr. Ich wagte nicht zu hoffen, dass ich Gott durch meine guten Werke gnädig stimmen und versöhnen könnte. Wenn ich Gott auch nicht lästerte, so murrte ich heimlich gewaltig gegen ihn: Reichte es nicht aus, dass die Menschen an den Zehn Geboten schuldig werden und als Sünder verloren sind? Musste uns Gott noch durch das Evangelium seine Gerechtigkeit und seinen Zorn androhen, um damit das Elend zu vergrößern?

Da hatte Gott Mitleid mit mir. Tag und Nacht war ich in grüblerische Gedanken versunken, bis ich endlich auf den Zusammenhang der Worte achtete: „Gott zeigt seine Gerechtigkeit im Evangelium, der frohen Botschaft von Jesus, wie geschrieben steht: „Der Gerechte lebt aus dem Glauben." Da fing ich an, die Gerechtigkeit Gottes ganz anders zu verstehen: Gott gibt den Menschen den Glauben wie ein Geschenk. Dadurch versöhnt er sich mit ihnen und macht sie gerecht. Der Mensch muss also nicht durch gute Werke Gott gnädig stimmen. Es reicht aus, wenn er sich von Gott den Glauben schenken lässt. Der Mensch muss nichts tun, sondern einfach das Geschenk annehmen.

Als ich das verstanden hatte, fühlte ich mich wie ganz und gar neu geboren. Plötzlich bekam die Bibel für mich ein völlig neues Gesicht. Wie durch ein offenes Tor trat ich in das Paradies selbst ein.

NUN FREUT EUCH LIEBEN CHRISTEN G'MEIN

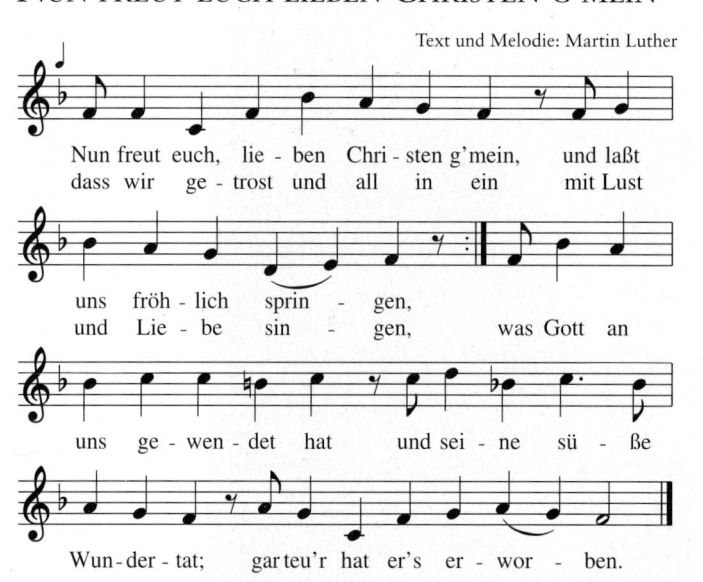

Text und Melodie: Martin Luther

Nun freut euch, lieben Christen g'mein,
und laßt uns fröhlich springen,
dass wir getrost und all in ein
mit Lust und Liebe singen,
was Gott an uns gewendet hat
und seine süße Wundertat;
gar teu'r hat er's erworben.

Dem Teufel ich gefangen lag,
im Tod war ich verloren,
mein Sünd mich quälte Nacht und Tag,
darin ich war geboren;
ich fiel auch immer tiefer drein,
es war kein Guts am Leben mein,
die Sünd hatt' mich besessen.

Mein guten Werk, die galten nicht,
er war mit ihn' verdorben,
Der frei Will hasste Gotts Gericht,
er war zum Gutn erstorben.
Die Angst mich zu verzweifeln trieb,
dass nichts denn Sterben bei mir blieb;
zur Höllen musst ich sinken.

Hieronymus Bosch, 15. Jh.

ICH BIN FREI

Lucas Cranach, 1547

**Ein Christenmensch ist frei –
Der Mensch und Gott**
Das griechische Wort Evangelium heißt auf Deutsch „eine fröhliche Botschaft". In dieser frohen Botschaft wird Gottes Gnade und Vergebung der Sünden verkündet und angeboten. Darum gehören zum Evangelium nicht die guten Werke, mit denen man Gott gnädig stimmen will. Denn es ist einzig und allein die Zusage und das Angebot der göttlichen Gnade. Wer nur daran glaubt, der bekommt die Gnade wie ein Geschenk… Jeder muss aber für sich selbst sehen, dass er richtig glaubt. Denn so wenig wie ein anderer für mich in die Hölle oder in den Himmel kommen kann, so wenig kann er auch für mich glauben oder nicht glauben…

Wer glaubt, wird fröhlich. Dann tut er freiwillig und ganz umsonst gute Werke aus Dankbarkeit über das Geschenk, das er bekommen hat, ohne Furcht vor Strafe und ohne Anspruch auf Lohn.

Dass die guten Werke keine Voraussetzung für die Versöhnung mit Gott sind, aber aus der Dankbarkeit über Gottes Gnade folgen, hat Luther zugespitzt und auf den ersten Blick widersprüchlich so formuliert:

Ein Christenmensch
ist ein freier Herr aller Dinge
und niemandem untertan.
Ein Christenmensch
ist ein dienstbarer Knecht aller Dinge
und jedermann untertan.

**Frei sein und zur Schule gehen –
Schüler und Lehrer**
Da die Heilige Schrift das wichtigste Buch der Christen ist, sollen sie es genau lesen, und es ist eine Sünde und Schande, dass wir dieses Buch so wenig kennen.
Ich denke aber, dass die Obrigkeit die Pflicht hat, die Untertanen zu zwingen, ihre Kinder zur Schule zu schicken… Meine Meinung ist, dass man die Knaben jeden Tag eine Stunde oder zwei zur Schule gehen lässt. Die übrige Zeit können sie dann zu Hause arbeiten, ein Handwerk lernen oder wozu man sie sonst haben will. Dann ist beides zusammen möglich, Schule und Arbeit …
Ganz schlecht ist es, wenn Kinder und Schüler das Zutrauen zu ihren Eltern und Lehrern verlieren. In meiner Schulzeit gab es ungeschliffene Schulmeister, die durch ihr

schroffens Auftreten viele glänzende Anlagen verdorben haben... Manche Lehrer sind so grausam wie die Henker. So wurde ich einmal am Vormittag fünfzehnmal geschlagen, ohne jede Schuld, denn ich sollte deklinieren und konjugieren und hatte es noch nicht gelernt.

Jetzt ist unsere Schule nicht mehr eine solche Hölle wie während meiner Kindheit und Jugendzeit. Damals wurden wir in ihr regelrecht gefoltert mit den „Fällen" und „Zeiten" und lernten trotz so viel Schlägen, Zittern, Angst und Jammer überhaupt nichts.

Frei sein und erzogen werden – Eltern und Kinder

Meinem herzliebsten Sohn
Hänschen Luther zu Wittenberg

Coburg, 19. Juni 1530

Gnade und Friede in Christus! Mein herzliebster Sohn! Ich sehe gerne, dass du gut lernst und fleißig betest. Mach das weiterhin so, mein Sohn. Wenn ich heimkomme, so will ich dir etwas Schönes vom Jahrmarkt mitbringen.

Man soll die Kinder nicht zu hart schlagen. Mein Vater schlug mich einmal so sehr, dass ich vor ihm floh. Mir wurde angst und bange, bis ich mich wieder an ihn gewöhnt hatte. Ich möchte mein Hänschen auch nicht gerne so sehr schlagen. Sonst würde er ängstlich und mir feindlich; ich wüsste nichts Schlimmeres.
Meine Mutter schlug mich wegen einer einzigen Nuss bis ich blutete. Durch diese harte Zucht trieben mich meine Eltern schließlich ins Kloster, obwohl sie es herzlich gut meinten; ich wurde dadurch nur verschüchtert. Sie vermochten das richtige Maß nicht einzuhalten. Man muss so strafen, dass der Apfel bei der Rute ist.

Martin Luther

Angst vor der Freiheit

Die Bauern waren unzufrieden, da sich ihre rechtliche und wirtschaftliche Lage verschlechtert hatte. Viele setzten ihre Hoffnung auf Luther. Dessen Aussagen über die ‚Freiheit eines Christenmenschen' bezogen sie ganz konkret und handfest auf ihre Situation.
Im Februar 1525 fassten Bauern aus dem Allgäu ihre Forderungen in den ‚12 Artikeln der Bauernschaft in Schwaben' zusammen. Im Mai kam es in einigen Gebieten zu Aufständen, weil die Grundbesitzer zu ernsthaften Verhandlungen mit den Bauern nicht bereit waren. Jetzt rief Luther in der Schrift ‚Wider die räuberischen und mörderischen Rotten der Bauern' zur gewaltsamen Niederschlagung der Aufstände auf. Binnen kurzem wurden die Bauern besiegt und tausende von ihnen getötet. Es war ein Krieg gegen die Bauern. Nun mahnte Luther zwar in einer weiteren Schrift die Obrigkeit zur Mäßigung, aber insgesamt hatte seine Haltung im Bauernkrieg seinem Ansehen bei weiten Teilen der Bevölkerung schweren Schaden zugefügt.

Aus den Zwölf Artikeln der Bauern (1525)

1. Wir bitten demütig, dass eine Gemeinde ihren Pfarrer selbst wählen soll. Der gewählte Pfarrer soll uns das Evangelium verständlich predigen, ohne es zu verfälschen.

3. Bisher war es üblich, dass man uns wie Eigentum angesehen und besessen hat. Dies ist ein erbärmlicher Zustand, vor allem wenn wir bedenken, dass Christus uns alle mit seinem kostbaren Blut erlöst und erkauft hat. Deshalb sagt die Bibel, dass wir frei sind und frei sein wollen. Das heißt nicht, dass wir ganz frei sein und keine Obrigkeit haben wollen, denn davon sagt die Bibel nichts. Wir wollen unserer Obrigkeit gehorchen, soweit es recht und billig ist.

5. Beschwerden haben wir auch wegen des Rechtes, Holz zu holen und zu fällen. Unsere Herrschaften haben sich die Wälder unter den Nagel gerissen, und wenn der arme Mann etwas braucht, muss er es teuer kaufen. Wir sind der Meinung, dass die Wälder nicht den geistlichen und weltlichen Herren gehören, die dafür nichts bezahlt haben. Die Wälder sollen wieder den ursprünglichen Besitzern, der ganzen Gemeinde, zurückgegeben werden. Die Gemeinde soll erlauben, dass jeder kostenlos so viel Brennholz mit nach Haus nimmt, wie er braucht, genauso das, was er zum Hausbau und für andere Holzarbeiten benötigt.

7. Wir wollen, dass unsere Herrschaft uns nicht noch mehr Lasten auferlegt. Wenn der Herr eine Arbeitskraft braucht, dann soll ihm der Bauer gehorchen und zu Diensten stehen, doch zu den Zeiten, zu denen er nicht selber arbeiten muss. Auch soll der Bauer für seine Dienste bezahlt werden.

12. Wenn einer oder mehrere der hier aufgestellten Artikel mit der Bibel nicht übereinstimmen, werden wir den Artikel streichen, wenn man uns das anhand der Bibel nachweist.

Aus ‚Wider die räuberischen und mörderischen Rotten der Bauern' (Luther 1525)

Diese Bauern sündigen in dreifacher Weise. Deshalb haben sie den leiblichen und den seelischen Tod vielfach verdient.

Erstens haben sie ihrer Obrigkeit Treue und Gefolgschaft versprochen und geschworen, untertänig und gehorsam zu sein. Gott gebietet dies in der Bibel in Röm 13, 1: „Jedermann sei der Obrigkeit untertan" …
Zweitens machen sie einen Aufstand, rauben und plündern Klöster und Schlösser, die ihnen nicht gehören. Dadurch machen sie sich zu öffentlichen Straßenräubern und Mördern und verdienen den Tod doppelt, an Leib und an Seele.
Drittens rechtfertigen sie diese schreckliche Sünde auch noch mit dem Evangelium…

Darum sollen hier alle, die es können, hineinschlagen, würgen und stechen, heimlich oder öffentlich, und daran denken, dass nichts Giftigeres, Schädlicheres, Teuflischeres sein kann als ein aufrührerischer Mensch. Wie man auch einen bissigen Hund totschlagen muss; schlägst du ihn nicht, so beißt er dich tot und dazu noch andere Menschen.

So soll nun die Obrigkeit hier getrost vorpreschen und mit gutem Gewissen dreinschlagen, solange sie dies kann. Denn sie hat den Vorteil, dass die Bauern Unrecht und ein schlechtes Gewissen haben. Jeder Bauer, der erschlagen wird, ist mit Leib und Seele verloren und fährt auf ewig zum Teufel in die Hölle. Aber die Obrigkeit ist im Recht und hat ein gutes Gewissen und kann mit voller Überzeugung zu Gott sagen: Siehe mein Gott, du hast mich zum Fürsten oder Herrn gesetzt, daran gibt es keinen Zweifel, und hast mir befohlen, Übeltäter mit dem Schwert zu bestrafen – Röm 13, 4. Solch wunderliche Zeiten sind jetzt, dass ein Fürst den Himmel mit Blutvergießen verdienen kann, besser denn andere mit Beten.

Josef Beuys, 1962/1965

Freiheit heute – Meinungen über Luther

Meine Meinung über Martin Luther hat im Laufe meines Lebens sehr gewechselt. Früher fand ich den Revolutionär interessant und den gebrochenen Revolutionär ärgerlich. Heute denke ich mehr daran, dass er am Anfang eines Jahrhunderts von unglaublichem Chaos stand und dass ihn das wohl sehr, sehr erschreckt hat.

Mit dem Protestantismus fing es an, dass der Mensch in religiösen Dingen „Ich" sagt, radikal „Ich" sagt, sich von keiner Gruppe mehr definiert. Das kann natürlich auch unglaublich einsam machen. Man bekommt eine ungeheure Verantwortung. Denn wenn jeder Einzelne in jedem Augenblick alles entscheiden kann, dann ist er auch in jedem Augenblick an dieser unheimlichen Grenze zwischen Ewigkeit und Verdammnis. So hat es Luther im Übrigen auch selbst gefühlt. Das ist bestimmt kein einfaches Leben. Aber das steht am Anfang der modernen Zeit, sich in diese religiöse Einsamkeit hineinzutrauen.

*Antje Vollmer,
Theologin und Politikerin*

Das Entscheidende ist, dass ich mir nicht mehr selbst meine Würde verschaffen muss, sondern dass ich meine Würde geschenkt bekomme. Luther sagt: Suche dich, suche deine Identität nicht in dir selbst, such sie in Christus, dann wirst du sie finden. Diese Grundlage der ‚Freiheit eines Christenmenschen', dass ich meine Identität, meine Würde nicht aus mir selbst, sondern dass ich sie als Geschenk habe, das ist das, was bleibt.

*Horst Hirschler,
Lutherischer Landesbischof*

Das Wichtigste ist, dass Luther nicht nur sagt: Du stehst allein vor Gott. Du brauchst keinen Mittler, du brauchst nicht die Zwischeninstanzen. Sondern du selbst bist es, der vor Gott steht. Dass er es aber nicht dabei belässt, sondern dass er hinzufügt: Und dieser Gott ist einer, der sich dir zuwendet, der für dich einsteht.

Für mich ist die Rechtfertigungslehre, für mich ist seine Aussage über die Freiheit eines Christenmenschen das, was seine Leuchtkraft ausmacht.

*Johannes Rau,
Ministerpräsident*

Fern ist mir Luther in seinem politischen Konservativismus, dem er sein Leben lang treu blieb, sehr nahe in seiner Zartheit, auch seiner Angst, seinem Freimut.

Ich sehe das protestantische Prinzip sehr deutlich vor mir. Es lautet: Zeige bei allem, was du tust, als ein vor Gott gerechtfertigter Mensch Courage, Courage gegenüber den großen ‚Hansen' in der Welt und gegenüber den großen und kleinen ‚Päpsten' in der Kirche. Der entscheidende reformatorische Satz lautet: Wir haben den Glauben an die Autorität durch die Autorität des Glaubens ersetzt. Dieser Satz ist nie widerlegbar und darum Dank an Martin Luther.

*Walter Jens,
Rhetorikprofessor*

Behutsam redigierte Nachschrift einer Fernsehsendung „Luther und die Folgen", ZDF, 31. 10. 96

Barnett Newman, 9/63

LE CHAIM – JÜDISCHES LEBEN

Dieter Franck, 1969

Das Tier in der Nacht

Es lebt in der Dunkelheit, unter dem Bett, das Schattentier. Der Junge, in dessen Zimmer es lebt, hat Angst vor ihm. Zwar ist es am Tag unsichtbar, aber am Abend bläst es sich auf, schlüpft aus seiner Dose unter dem Bett und huscht durch das Zimmer.

Als wir noch keine Freunde waren, hatte ich große Angst vor ihm, sogar schon bevor Mama ins Zimmer kam, um mir einen Gute-Nacht-Kuss zu geben. Obwohl das Licht noch brannte, hatte ich bereits solche Angst, dass ich mich auf keinen Fall aufs Bett setzte und die Beine herunterbaumeln ließ. ... Eigentlich habe ich noch immer ein bisschen Angst vor ihm, aber nicht richtig. Ich weiß ja inzwischen wie ich es beschwören kann, egal was passiert.

Im Zirkus sieht der Junge, wie man Tiere zähmen kann; das versucht er nun auch mit seinem ‚Tier'. Er beginnt ihm sogar Geschichten zu erzählen.

Ich versuchte an die Zeit zu denken, als Mama Soldatin war. Papa und Mama waren damals noch nicht verheiratet. Ich dachte auch an die Zeit als sie sich noch nicht kannten. Das konnte ich mir kaum vorstellen, aber in dem großen Fotoalbum kann man es sehen. Papa allein, Papa beim Militär, Papa in der Schule. Papa mit einer Freundin, die nicht meine Mutter ist. Das alles war, bevor er Mama kannte. Auch von Mama gibt es Fotos. Auf einem Schulbild steht sie mitten unter vielen anderen Kindern, da war sie in der dritten Klasse. Auf späteren Fotos ist sie Soldatin, Offizierin. Mama war Oberleutnantin und Papa Feldwebel. Wären sie zusammen beim Militär gewesen, hätte Papa vor Mama salutieren müssen. Das wäre komisch. ...

Am Jom Kippur saßen wir zu Hause. Plötzlich kam jemand und holte meinen Vater zur Armee. Papa gab Mama und mir noch einen Kuss. Wir sollten Briefe schreiben, sagte er, bevor er ging. Dann kam Alarm. Alle Leute gingen in den Keller und mein Schattentier zitterte vor Angst, weil es dachte, dass Bomben auf seine Dose fallen würden. Ich hielt die Dose gut fest und beruhigte es.

„Unser Bunker ist sicher, sehr sicher", sagte ich, „du brauchst keine Angst zu haben. Und mein Papa ist stark, sehr stark. Er wird nicht zulassen, dass Bomben auf uns geworfen werden."

Ich sprach ganz leise, niemand hat es gehört. Allmählich beruhigte sich mein Tier. Doch Mama machte sich große Sorgen. Ich konnte ihr mein Tier nicht geben, weil sie es nicht sehen konnte.

Nach einer Woche erfuhren wir, dass Papa am zweiten Tag der Kämpfe umgekommen war. Danach kümmerte sich mein Tier um mich und passte nachts im Traum auf mich auf. Besonders wenn ich von dem Araber träumte.

Mama erzählte mir, dass sie als kleines Mädchen auch immer von einem Araber geträumt hatte. Und Papa hatte von Zigeunern geträumt. Als Papa klein war, lebte er in Polen, in einem Dorf. Dort kamen manchmal Zigeuner mit ihren Wohnwagen hin. ... Alle Leute aus dem Dorf fürchteten sich vor ihnen und sagten zu Papa, er solle aufpassen, damit sie ihn nicht fingen. Papa war sicher, dass die Zigeuner Kinder stehlen. Deshalb fürchtete er sich vor ihnen und träumte nachts von einem Zigeuner, der ihn verfolgte. Seltsam, die polnischen Kinder, Papas Freunde in der Schule, träumten manchmal von einem Juden, der sie fing und in einen Sack steckte.

Mama erklärte mir, dass viele Leute in Polen die Juden nicht mochten und sich alle möglichen schlimmen Geschichten über sie ausdachten. Deshalb träumten ihre Kinder manchmal nachts von bösen Juden. Das war aber nicht dasselbe wie meine Träume von dem Araber, denn mit den Arabern haben wir noch immer Krieg. ...

Uri Orlev

Jesus, ein jüdischer Rabbi

Es war noch eine Stunde bis Sonnenuntergang. Die jungen Leute gingen zum Strand hinunter. Die tief stehende Sonne breitete einen goldenen Glanz über den See, in dem das Boot als schwarzer Tropfen verschwand. Wir zündeten die Sabbatlichter an, sprachen den Segen und aßen.
Es dauerte nicht lange und es wurde an der Hütte geklopft. Zwei Männer verlangten Mattathias zu sprechen. Der ältere hieß Gamaliel, der jüngere Daniel. Mattathias bat sie herein. Die beiden nahmen Platz.
Gamaliel begann: „Dein Sohn ist mit ein paar Fremden am Sabbat zum Fischen gefahren! Weißt du nicht, dass es verboten ist, am Sabbat zu arbeiten?"
Mattathias beruhigte ihn: „Sie fuhren nicht zum Fischen. Sie wollten nach Tiberias, um einen Arzt für Mirjam zu holen. Niemand hat den Sabbat übertreten!"
Daniel wandte ein: „Konntest du nicht warten, bis der Sabbat vorüber ist?"
Ich schaltete mich ein: „Ich habe sie geschickt. Mirjam braucht Hilfe. Wenn es um eine Heilung geht, ist es erlaubt, die Sabbatregeln außer Kraft zu setzen."
„Nein!", widersprach Daniel. „Nur wenn es keine andere Möglichkeit gibt."
Ich wurde ärgerlich. In Sepphoris war es selbstverständlich, dass man am Sabbat den Arzt holen durfte. Waren diese Leute vom Lande engherzig! Aber vielleicht mussten sich die beiden auch nur dafür rechtfertigen, dass sie uns beim Essen gestört hatten.
Gamaliel sagte nachdenklich: „Es gibt erlaubte Fälle: Wenn am Sabbat ein Schaf in den Brunnen fällt, so darf es rausgeholt werden!"
Daniel protestierte: „Da bin ich anderer Meinung. Wenn Gott will, dass das Schaf überlebt, wird es überleben! Man darf sich erst nach dem Sabbat darum kümmern."*
Gamaliel widersprach: „Wie kann es denn überleben. Es wird ertrinken. Willst du Gott ein Wunder vorschreiben? Ihr Essener seid strenger als wir Pharisäer. Wir wollen praktikable Lösungen. Die meisten Schriftgelehrten stimmen mit mir überein, dass die Rettung eines Tieres am Sabbat erlaubt ist. Schließen wir nun vom Geringeren aufs Größere, dann komme ich zu dem Ergebnis: Wenn es erlaubt ist, ein Tier zu retten, wie viel mehr ist es erlaubt, einen Menschen zu heilen!"

Mirjam hatte die Diskussion verfolgt. Sie rief dazwischen: „Auch Jesus hat Menschen am Sabbat geheilt! Mama, erzähl doch die Geschichte!" Hanna war es sichtlich peinlich, vor den beiden Besuchern von Jesus zu reden. Doch welche Mutter hätte in dieser Situation ihrem Kind eine Bitte abgeschlagen? Also erzählte sie:

„Jesus kam am Sabbat in eine Synagoge. Dort war ein Mensch mit einer verdorrten Hand. Und die Leute lauerten darauf, dass er den Sabbat bricht. Und er sprach zu dem Mann mit der verdorrten Hand. ‚Steh auf und tritt in die Mitte!' Dann sagte er zu den anderen: ‚Ist es erlaubt, am Sabbat Gutes zu tun oder soll man Böses tun? Ist es erlaubt Leben zu retten oder soll man töten?' Die Leute schwiegen. Er blickte sich zornig um und er war voll Traurigkeit über die Verstockung ihrer Herzen und sprach zu dem Mann: ‚Streck deine Hand aus!' Und er streckte sie aus und seine Hand war geheilt."

Alle hatten ihr aufmerksam zugehört. Gamaliel sagte freundlich: „Mirjam, ist das nicht ein anderer Fall als unser Schaf im Brunnen? Das Schaf würde ertrinken, wenn man es nicht sofort rausholt. Aber könnte der Mann mit der verdorrten Hand nicht einen Tag warten? Es geht doch nicht darum, Gutes oder Böses zu tun, zu heilen oder zu töten! Es geht darum, das Gute heute oder morgen zu tun."

Daniel warf ein: „Da siehst du, was daraus wird, wenn man Zugeständnisse macht. Sie werden ausgenutzt. Dieser Jesus weiß genau: Alle Schriftgelehrten stimmen mit ihm darin überein, dass am Sabbat einem anderen Menschen geholfen werden darf. Und das legt er nun extrem aus: Jeder könne entscheiden, wann er die Sabbatregeln zu beachten habe und wann nicht, wann er zur Hilfe verpflichtet sei und wann nicht."

Hanna hatte ungeduldig zugehört: „Ich verstehe diese Spitzfindigkeiten nicht. Es ist doch klar: Man darf am Sabbat helfen. Der Sabbat wurde für den Menschen geschaffen und nicht der Mensch für den Sabbat."

Gerd Theißen

* *Die Essener vertraten die strenge Meinung, dass man am Sabbat weder dem Vieh noch den Menschen in schwierigen Momenten helfen dürfe.*

Marc Chagall

Kurt begleitet Ruth in die Synagoge

Herr Rosenberg wusste inzwischen, dass ich ein goj, ein Nichtjude, bin. Wir waren deshalb alle überrascht, als er mich fragte, ob ich ihn und Ruth am kommenden Freitag zum Abendgebet in die Synagoge begleiten wolle.

Wo die Synagoge ist, wusste ich. Wir wohnten ganz in der Nähe. Als Ruth, ihr Vater und ich am Freitagabend dort ankamen, zog Herr Rosenberg noch auf dem Vorplatz vor dem Eingang ein kleines rundes Käppchen aus der Tasche und setzte es auf. Für mich hatte er auch eines mitgenommen. Ich kam mir damit ganz komisch vor.

Er schenkte mir die kippa, das Gebetskäppchen, das er mir aufgesetzt hatte. Es war aus dunkelblauem Samt und schön bestickt. Wie vieles andere ging es im Krieg verloren.

Wir stiegen die sechs Treppenstufen zum Eingang empor und betraten die Synagoge. Groß war sie und hoch, mindestens so groß wie unsere Stadtkirche. Ich blickte mich um: Es gab so viel zu sehen.

„Komm nach vorne. Dort ist mein Platz!"
Wir gingen durch den langen Mittelgang bis zur dritten Bankreihe. Dort setzten wir uns auf Plätze, die Schilder mit dem Namen ‚Rosenberg' trugen. Ruth war nicht mehr bei uns. Ich hatte gedacht, sie würde sich neben mich setzen.

„Sie ist auf die Frauenempore hinaufgegangen!", flüsterte Herr Rosenberg.
„Kriegt sie auch eine kippa?"
„Nein, Mädchen und Frauen brauchen keine aufzusetzen."
Herr Rosenberg holte aus einem kleinen Kasten, der vor seinem Sitz befestigt war, ein großes weißes Tuch mit blauen Streifen und Quasten an den vier Ecken heraus.
„Das ist mein tallit, der Gebetsmantel." Er legte den Gebetsmantel über seine Schultern. In dem Kästchen war auch ein dickes Buch, das Gebetbuch, wie mir Herr Rosenberg sagte. „Am schabbes dürfen wir diese Sachen nicht mit in die Synagoge nehmen. Wir dürfen nichts tragen. Deshalb sind mein tallit und mein Gebetbuch immer hier im Kasten."

In der Synagoge war es noch recht dunkel, obwohl es eine Unmenge Lampen gab. Aber keine von ihnen brannte. Nur ganz vorne leuchtete geheimnisvoll eine rote Lampe. Sie hing an einer langen Kette von der Decke.

„Das ist das ner tamid, das Ewige Licht."
In der Synagoge sah es beinahe aus wie in unserer großen evangelischen Kirche: rechts und links Säulen und Bögen, ein langer Mittelgang, zwei Seitenemporen, die Frauenemporen, zu denen Ruth hinaufgestiegen war. Vorne rechts entdeckte ich eine Kanzel. Hinter dem dunkelroten Vorhang stand bestimmt der Altar. Auf dem Vorhang waren zwei Löwen, die grimmig die Zähne fletschten, die Tafeln mit den Zehn Geboten und eine Krone aufgestickt.

„Das ist kein Altar! Das ist der aron hakodesch, die heilige Lade. Darin werden die Tora-Rollen aufbewahrt, die fünf Bücher Mose. Sie sind der heiligste Teil unserer Bibel."
„Ist der Tisch davor ein Altar?"
„Das ist das Lesepult. Darauf wird die Tora-Rolle gelegt, wenn aus ihr am Samstagmorgen vorgelesen wird. Es heißt almemor."

Eine nach der anderen der vielen Lampen begann zu leuchten. Es wurde langsam hell. Manchmal konnte ich Herrn Rosenberg kaum noch verstehen. Die vielen Männer, wie er mit dem Gebetsmantel bekleidet, sprachen laut und durcheinander ihre Gebete. Jetzt setzte auch noch dröhnend die Orgel ein. Die Töne kamen von hinten. Wie in unserer Kirche stand sie auf der Empore über dem Haupteingang. Ruths Vater flüsterte nun nicht mehr. Er redete sogar recht laut. Es schien aber keinen zu stören.

„Wir singen zuerst ein Lied: ‚kabbalat schabbat', ‚Empfang des Schabbat'."

Es hatte eine schöne Melodie. Vom Text verstand ich aber nichts.

„Da kommt unser Oberkantor Metzger!" Der Oberkantor hatte einen gewaltigen Schnurrbart und trug einen Talar wie unser Pfarrer. Er stand mit dem Rücken zu uns vor der heiligen Lade und las laut aus einem Buch. Ich verstand kein einziges Wort.

„Du musst erst Hebräisch lernen, wenn du die Gebete verstehen willst!", sagte Herr Rosenberg lachend.

Ein einziges Wort verstand aber auch ich: „Amen"! Das kam oft vor. Auch Namen glaubte ich herauszuhören, von denen ich im Kindergottesdienst schon gehört hatte: Abraham, Isaak, Jakob.

Ich passte gut auf. Wenn sich die Männer erhoben, stand ich auch auf. Bei manchen Chorälen konnte ich beinahe mitsingen, so vertraut kamen mir einige Melodien vor.

„Hör gut zu! Jetzt sprechen wir unser Glaubensbekenntnis."

„Sch'ma jissroel, adonai elohenu, adonai echod ..." –

„Höre, Israel! Der Herr ist unser Gott, der Herr ist einer ...!"

„Und jetzt sagen wir kaddisch."

Da hörte ich es zum ersten Mal:

„Jitgadal we jitkaddasch ..." –

„Erhoben und geheiligt werde sein Name ..."

Einige der Männer verbeugten sich ständig beim Beten. „Aus Ehrfurcht", sagte Herr Rosenberg.

Nach dem Lied standen alle auf und drehten sich zum Eingang.

„Wir begrüßen jetzt Königin Schabbat!"

Kurz darauf schüttelte mir Herr Rosenberg kräftig die Hand und sagte: „Gut Schabbes!" Einen guten Sabbat wünschte ich ihm auch. Allen Männern, die um mich herumsaßen, musste ich die Hand schütteln und „Gut Schabbes!" rufen.

Kurt Witzenbacher

Bar Mizwa

Ruth begleitet Kurt in die Kirche

Am Sonntag ging Ruth mit mir in den Kindergottesdienst. Der Weg war etwas weiter als der zur Synagoge. Der Kindergottesdienst wurde immer in der Kleinen Kirche gefeiert. Ruth fragte mich, ob sie auf die Frauenempore müsse. Jetzt war es an mir, Erklärungen und Hinweise zu geben. Ruth staunte nicht schlecht, als sie hörte, dass in der Kirche Jungen und Mädchen, Männer und Frauen nebeneinander sitzen.
Für Ruth gab es viel Neues zu sehen. Sie war früher einmal in einer katholischen Kirche gewesen. Da hatte sie manches Bekannte entdeckt: das Ewige Licht, den Weihwasserkessel – „Fast wie unsere mesusa", meinte sie – und die Orgel. Für Ruth war eine Orgel in der Synagoge eine ganz selbstverständliche Sache.

Der Pfarrer eröffnete den Gottesdienst. Fast sechzig Kinder waren gekommen. An dem großen Adventskranz, der von der Decke herabhing, brannte schon eine Kerze. Als erstes Lied sangen wir: „Tochter Zion, freue dich …" Ruth sang fest mit. Später sagte sie mir, dass man in der Synagoge und zu Hause auch ein Lied singt, das dieselbe Melodie hat.
Ruth war begeistert, als sie feststellte, dass sie vieles, was gesungen, gelesen und gebetet wurde, bereits kannte: Worte aus den Psalmen und den Propheten. Bei dem Eingangswort, das der Pfarrer sagte: „Gepriesen sei Gott …", flüsterte sie mir zu: „So beginnen wir auch unsere Segens- und Lobpreisgebete: ‚Baruch atta adonai …' – ‚Gepriesen seist du, Herr …'" Als es aber weiterging: „… der Vater unseres Herrn Jesu Christi …", wollte ihr das nicht so recht in den Kopf. „Das musst du mir nachher erklären, was das bedeutet: ‚Vater unseres Herrn Jesu Christi'!" Das „Amen, Amen" und das „Halleluja, Halleluja, Halleluja …" waren ihr natürlich sehr vertraut. „Ihr singt ja auch in Hebräisch!"

Zur Gruppenunterweisung setzten wir uns in Altersgruppen zusammen. Elisabeth, unsere Gruppenhelferin, hatte nichts dagegen, dass Ruth mit in meine Gruppe kam. Sie erzählte uns die Geschichte vom Einzug Jesu in Jerusalem. Ruth machte ganz große Augen. Das hörte sie ja alles zum ersten Mal. …

Nach der Gruppenunterweisung sprach der Pfarrer über die Geschichte. So gut wie heute hatte ich noch nie aufgepasst. Ich musste doch nachher Ruth alles noch mal genau erklären!
Wir sangen noch das Lied: „Macht hoch die Tür …", beteten gemeinsam das Vaterunser und standen auf zum Segen, den der Pfarrer sprach. Alle Kinder sangen das „Amen, Amen, Amen" und er gab jedem von uns zum Abschied an der Tür die Hand.

„Ist das deine Freundin? Ich habe sie noch nie hier gesehen", fragte er mich. Das war eine Frage! Es fiel mir nicht leicht, sie zu beantworten. Hatte ich wirklich eine Freundin? Ja, doch! So viele Male hatte ich zu hören bekommen, ich hätte einen 'Judenbankert' als Freundin.
Und ich antwortete deshalb ganz stolz: „Ja, das ist Ruth, meine Freundin! Sie ist aber nicht evangelisch."
„Dann bist du sicher katholisch?"
„Nein, Herr Pfarrer, ich bin jüdisch."
Der Pfarrer sagte zunächst überhaupt nichts. Er schaute uns nachdenklich an und nahm uns dann zur Seite: „Ich freue mich sehr darüber, dass du zu uns gekommen bist, Ruth. Du kannst immer kommen, wenn du willst. Sag es aber nicht so laut, dass du jüdisch bist. Das wollen heute viele Leute nicht mehr gerne hören. Und du", wandte er sich an mich, „pass ja gut auf deine Freundin auf!"
Ich nahm mir das so zu Herzen, dass ich Ruths Hand ergriff und sie nicht mehr los-

ließ, bis wir zu Hause angekommen waren. Unterwegs musste ich viele Fragen beantworten, die mir Ruth zum Kindergottesdienst stellte. Vieles konnte ich nicht recht erklären. Meine Kenntnisse über den christlichen Glauben waren sehr dürftig. In unserer Familie wurde über diese Dinge nie gesprochen.

Immer wenn Herr Rosenberg mich am Freitagabend in die Synagoge mitnahm, begleitete mich Ruth am Sonntag in den Kindergottesdienst. Damit begann aber nicht nur mein Wissen über den jüdischen, sondern auch über den christlichen Glauben zu wachsen. Jahre später entdeckte ich, dass es ein jüdisches Mädchen war, durch das ich nicht nur den Juden und dem Judentum immer näher gekommen war, sondern auch zum Glauben an Jesus Christus.

Kurt Witzenbacher

Die Synagoge in Ansbach

Chanukka im Advent

Nach dem zweiten Adventssonntag begann das achttägige Chanukkafest. Ruths Eltern hatten vor Jahren aus Polen einen silbernen Chanukkaleuchter mitgebracht. Er wird vor chanukka mit acht Kerzen bestückt. Am ersten Tag wird eine Kerze und an jedem folgenden Tag eine weitere Kerze mit Hilfe des Schammes, der Dienstkerze, angezündet, bis alle acht Kerzen brennen. „Wie beim Adventskranz!", sagte ich zu Ruth.

Ruth erzählte die Geschichte des Chanukkafestes, des Lichterfestes, als ich wissen wollte, ob es ein Fest wie Weihnachten ist: „Als vor vielen, vielen Jahren heidnische Götzenanbeter den Tempel in Jerusalem verunreinigten, indem sie ein Götzenbild aufstellten, war nach ihrer Vertreibung nur noch ein kleiner Krug mit geweihtem Öl für den Leuchter übrig. Das reichte aber nur für einen einzigen Tag. Und doch brannte dieses Öl acht Tage lang, bis erneut Oliven zerstampft waren und reines Öl daraus gewonnen worden war. Deshalb feiern wir acht Tage lang ein Freudenfest. Die brennenden Kerzen sollen uns an dieses Wunder erinnern. An den Chanukkatagen ist jede Trauer verboten. Wir Juden sollen uns freuen und Gott loben und preisen."

Frau Rosenberg ergänzte ihre Erzählung: „Wir beschenken uns an diesem Fest wie die Christen an Weihnachten. Und wir singen alte jüdische Hymnen, spielen viele Spiele miteinander." Sie zeigte mir einen viereckigen Kreisel, einen Dreidl, mit dem immer an chanukka gespielt wird. Er trug auf jeder Seite einen hebräischen Buchstaben. Ruth erklärte mir, wie die Buchstaben heißen: nun, gimel, he und schin.

„Das sind Abkürzungen; nun steht für nes, gimel für gadol, he für haja und schin für scham. Das Ganze heißt zusammen: Nes gadol haja scham, auf Deutsch: Ein großes Wunder ereignete sich dort. Unser Dreidl-Spiel ist ein Glücksspiel und es werden Geldstücke eingesetzt."

Am Heiligen Abend schickte mich Großmutter mit einem großen Teller voll selbst gebackener Weihnachtsbrötchen, Zimtsterne, ‚Butterbackes', ihrer berühmt-berüchtigten Springerle, Lebkuchen und Vanillehörnchen, zur Nachbarsfamilie. Ruths Mutter freute sich sehr darüber. „An Pessach wird euch Ruth ein paar mazzot bringen. Es ist so schön, wenn wir unsere Festfreude mit anderen teilen dürfen!"

Kurt Witzenbacher

G"tt der Welt

Die Chanukkahkerzen flimmern
gegenüber dem Weihnachtslicht

Die Mazzot liegen auf dem Pessachtisch
Im Nebenhaus hängen Ostereier

Die Purimkostüme werden vorbereitet
kurz nach der Faschingsfeier

Die Omeszeit wird täglich gezählt
bis zum Schlusstag von Pfingsten

Das Gebet für den Schabbatausgang
wird gesagt
kurz vor der Sonntagsruhe

Und wenn ich in die Synagoge gehe
klingeln die Kirchenglocken

Haben sie einen anderen G"tt?

Karin Levi

SCHALOM ALEJCHEM

traditional

Scha-lom a-le-jchem mal-a-chej ha-scha-ret mal-a-chej el-jon
mi-me-lech mal-chej ham-la-chim ha-ka-dosch ba-ruch hu.
Bo-a-chem l-e-scha-lom mal-a-chej ha-scha-lom mal-a-chej el-jon
mi-me-lech mal-a-chej ham-la-chim ha-ka-dosch ba-ruch hu

Friede mit euch, Engel des Dienstes, Engel des Höchsten,
vom König aller Könige gesandt dem Heiligen, gelobt sei Er.
Eure Einkehr sei zum Frieden, Engel des Friedens, Engel des Höchsten,
vom König aller Könige gesandt dem Heiligen, gelobt sei Er.
Segnet mich zum Frieden, Engel des Friedens, Engel des Höchsten,
vom König aller Könige gesandt dem Heiligen, gelobt sei Er.
Euer Ausgang sei zum Frieden, Engel des Friedens, Engel des Höchsten,
vom König aller Könige gesandt dem Heiligen, gelobt sei Er.
Seine Engel entbietet Er dir, dich auf allen deinen Wegen zu behüten.
Der Ewige möge deinen Ausgang und deine Einkehr behüten von nun an bis in Ewigkeit.

Mein Jerusalem – Dein El Kuds

... Es ist gleich dunkel und es ist die Stunde des Gebets. Zu Hause ruft der Muezzin die Gläubigen zum Gebet, zu Hause im Dorf, denkt Hassan wehmütig. Mutter wird jetzt den Abendbrottisch decken. Vater wird mit den älteren Brüdern Nader und Samir ‚politische Gespräche' führen, wie sie es nennen, wenn sie über Israel schimpfen. Und ich liege hier im israelischen Krankenhaus – neben mir ein Jude, der kein Wort mit mir redet.
„He, du, weißt du wie spät es ist?"
Keine Antwort. Dann eben nicht. Vielleicht hat er Heimweh wie ich. Sie haben ihn gerade erst gebracht und seine Eltern sind noch nicht gekommen. Sicher fühlt er sich schrecklich einsam.
„Haver – Freund, kann ich etwas für dich tun?", fragt Hassan den Bettnachbarn, der noch immer den Kopf zur Wand gedreht hat. ...

Hassan erfährt, dass sein Bettnachbar Jossi heißt.

Die ganze Zeit heult der, denkt Hassan. Und ich habe geglaubt, Juden heulen nicht so schnell, sind unheimlich mutig. Vielleicht sind sie doch nicht so mutig. Wenn sie durch unser Dorf kommen, tun sie, als gehöre ihnen alles, auch unser Dorf, sagt Vater. Und er und die Brüder haben dann immer eine schreckliche Wut. ...
„Ima, Aba", schluchzt er, „wo bleibt ihr denn. Ich will zu meinem Bruder Uzi." Jossi steigt aus dem Bett. Er tastet im Dunkeln zur Tür, fällt über den Stuhl neben Hassans Bett.
„He, was machst du denn? Wohin willst du? Musst du aufs Klo?"
Jossi setzt sich auf sein Bett und mustert den Nachbarn.
„Woher kommst du? Bist du Araber? Dein Hebräisch klingt so arabisch."
„Was dagegen?", fragt Hassan misstrauisch.
„Ne nur ..."
„Was nur?"
„Nur, nach allem was mir passiert ist, jetzt auch noch'n Araber neben mir."

Jossi schildert den Autounfall mit seinem Bruder Uzi. Dann erzählt Hassan über sein Heimatdorf, das eine halbe Stunde von Jerusalem entfernt liegt. Hassan berichtet, dass in dem Dorf früher viele Christen lebten, die aber fast alle nach Amerika ausgewandert sind und manchmal zu Besuch kommen.

„Sie könnten hier nicht mehr leben, sagen sie. Sie würden erst zurückkommen, wenn Palästina den Palästinensern gehört."
„Da könnt ihr lange warten", unterbricht Jossi. „Jetzt sind wir hier und wir lassen uns nicht mehr verjagen. Mein Großvater, der aus Polen kam und der ganz Schlimmes in einem Konzentrationslager durchgemacht hat, der erzählt uns manchmal davon, und dann sagt Vater: 'Lass die Kinder damit zufrieden, die wachsen als freie Menschen auf, und wir sind jetzt stark genug uns selbst zu verteidigen, damit uns niemand mehr umbringt, nur weil wir Juden sind."

Am nächsten Morgen kommen Jossis Eltern zu Besuch und Jossi stellt Hassan seinen Eltern vor. Die beiden Jungen kommen immer besser miteinander ins Gespräch.

Und dann kommt die letzte Nacht im Krankenhaus, Freitag werden sie beide entlassen. Eine Woche lang lagen sie nebeneinander. Eine lange Woche. Aber die Woche ist schnell vergangen. Sie haben sich die Zeit mit Geschichtenerzählen vertrieben. Jossi erzählte von seinen anderen Großeltern aus dem Jemen. Und sein Vater musste einen Atlas bringen, damit Jossi Hassan zeigen konnte, wo der Jemen liegt. Nurit war nicht ins Krankenhaus gekommen, Nurit, seine Mitschülerin, die so gut in Mathe ist, und auch sonst nicht übel, und er hatte geglaubt, dass sie Freunde wären. Schöne Freundin, dachte Jossi und beschloss sich von Nurit zu trennen.

Aber dann hat er Nurit schnell vergessen. Es gab immer etwas zu tun. Keinen Augenblick war es langweilig mit Hassan. Sie tauschten Comic-Hefte aus und Hassan hat Jossi ein orientalisches Spiel beigebracht: Scheshbesch*, jeden Tag haben sie es gespielt. ‚Komisch', hat Jossi dabei gedacht, ‚ich hätte nie geglaubt, dass ich mich mit 'nem Araber anfreunden könnte'. Und als sie beide so im Bett liegen und darüber nachdenken, was sie nachher alles zusammen unternehmen werden, da müssen beide zugeben – war eigentlich gar nicht so schlimm, die Zeit im Krankenhaus.

„Bist du noch wach, Hassan?"

„Hm, ich kann auch nicht schlafen. Ich muss daran denken, dass wir jetzt Freunde sind. Glaubst du, wir können richtige Freunde werden?"

„Warum nicht, du redest zwar ein bisschen viel, aber sonst bist du eigentlich ganz in Ordnung."

„Jossi, es bleibt dabei, nächsten Freitag um drei am Damaskustor."

„Klar doch, Hassan."

„Dann, Jossi, zeige ich dir El Kuds, den Shuk, die Wasserpfeifen, Abu Shukri und den Felsendom."

„Und ich zeige dir mein Jerusalem, die Klagemauer, die Ben-Jehuda-Fußgängerzone, du wirst sehen, dass es dort die besten Falafel gibt."

„Aber erst gehen wir zu Abu Shukri Falafel essen, versprochen?"

„Versprochen."

Roswitha von Benda

* *Sheshbesch = Backgammon*

Jean de Tavernier, 1455

137

... UND MUHAMMAD IST SEIN GESANDTER

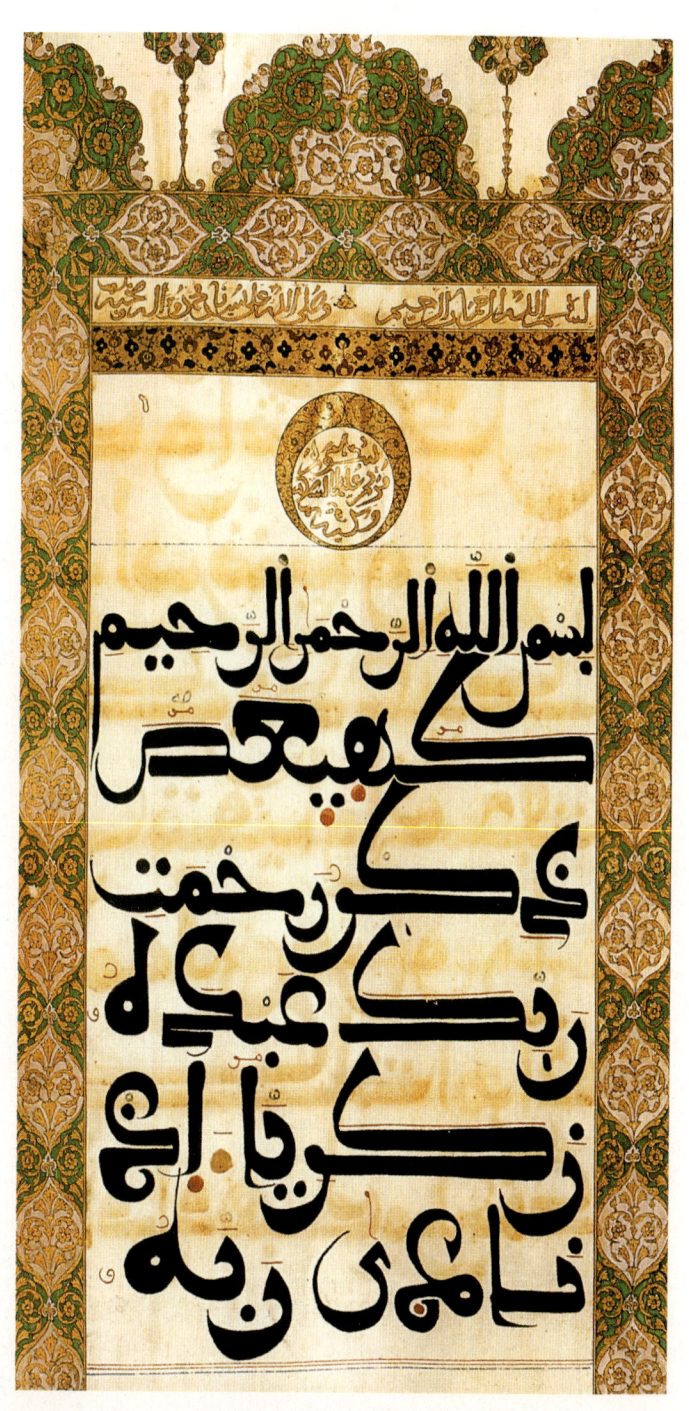

Sure 19
Sura von Maria, Mekkanisch, aus 98 Versen bestehend. Im Namen Gottes, des Allerbarmers, des Allbarmherzigen. Erinnerung der Barmherzigkeit deines Herren an seinen Diener Zacharias.

Der erste Schultag

Als sich Sevim am ersten Schultag nach den Sommerferien auf den Weg zur Schule macht, weiß sie schon, dass es nicht einfach für sie werden wird. Viele Male hat sie sich überlegt, was sie sagen kann, damit die anderen sie verstehen, hat sich auf verschiedene Reaktionen eingestellt. Trotzdem geht sie extra langsam, um erst kurz vor dem Klingeln im Schulhof anzukommen. Da stehen schon die meisten ihrer Klassenkameradinnen und -kameraden und erzählen sich von ihren Ferienerlebnissen. Und dann entdecken die ersten von ihnen Sevim ...

„Leute, guckt mal, die Sevim!" – „Mit Kopftuch! Das darf doch wohl nicht wahr sein – jetzt läuft die auch so 'rum!" – „Mensch, Sevim! Was ist denn in dich gefahren?!" – „Sag mal, haben sie dich in den Ferien etwa verheiratet?!" – „Bist du jetzt unter die Fundis gegangen?!"
Einige drehen sich auch weg, so, als würden sie Sevim nicht mehr kennen. Das tut ihr mehr weh als das aufgeregte Gerede der anderen. Glücklicherweise klingelt es schon und alle stürmen in das Schulgebäude.

In ihrem altgewohnten Klassenraum erwartet sie bereits Frau Schmitz, ihre Klassenlehrerin, bei der sie Geschichte und Religion haben. Sevim setzt sich auf ihren Platz, lächelt dem Mädchen neben sich zu und bemüht sich um ein möglichst fröhlich klingendes „Hallo, Steffi!" Steffi lächelt ein wenig unsicher zurück: „Hey, Sevim!" Eigentlich hatte sie sich auf das Wiedersehen gefreut, da sich beide Mädchen vor den Ferien ein wenig angefreundet hatten. Sevim hatte Steffi auch einmal besucht. Jetzt fragt sich Steffi, ob sie noch dieselbe Sevim wie vor den Ferien neben sich sitzen hat. Als nach der üblichen Unruhe alle auf ihren Plätzen sitzen, begrüßt sie Frau Schmitz und sagt: „Hoffentlich hattet ihr alle schöne Ferien! Hat jemand von euch vielleicht etwas erlebt, wovon er gerne erzählen würde?"

Sofort melden sich einige, um von ihren Ferien zu berichten. Irgendwann traut sich auch Sevim. Frau Schmitz lächelt ihr aufmunternd zu: „Ja, Sevim, und was hast du erlebt?"

Und Sevim erzählt: „Ich war auch auf einer Freizeit. Aber nicht auf so einer wie Kevin oder Anja. Meine Freizeit war eine für muslimische Mädchen, die mehr über den Islam lernen wollen. Wir waren mit vielen Mädchen in einem schönen Haus im Odenwald und haben ganz intensiv über unseren Glauben gesprochen. Wir haben auch über die Schwierigkeiten geredet, die auftreten, wenn wir in einer nicht islamischen Umwelt unseren Glauben leben wollen. Mir ist in dieser Zeit deutlich geworden, dass ich trotz dieser Schwierigkeiten gerne bewusst als Muslimin leben möchte. Darum war das für mich eine ganz wichtige Freizeit."

Michael fragt nach: „Ich kapier nur nicht, wie das jetzt so plötzlich kommt. Ich meine, vor den Ferien war mir zwar klar, dass du türkische Eltern hast. Aber dass du Muslimin bist – davon habe ich nie etwas gemerkt ..." „Genau!", unterbricht ihn Steffi, „und jetzt gleich so! Das wirkt irgendwie so ... so ... demonstrativ!" „Na, Steffi", sagt Frau Schmitz leicht amüsiert, „und für was demonstrierst du mit deiner grünen Haarsträhne?!" „Ach", winkt Steffi ab, „das ist doch einfach cool!"

„Es stimmt, dass ich bisher nicht religiös gewirkt habe", antwortet Sevim. „Meine Eltern haben mir da sehr viel Freiheit gelassen. Sie sind zwar selbst gläubig, besonders mein Vater, aber sie haben mich nicht bedrängt. Sie sehen die Probleme sehr genau, die dadurch entstehen, dass wir zwar in einer Gesellschaft leben, wo es so locker zugeht und die Religion eigentlich keine Rolle mehr spielt, dass aber in unseren Familien meist noch eine ganz festgefügte Tradition gilt. Und deshalb haben sie gesagt, ich muss selbst entscheiden, ob ich hier religiös leben kann. Vor dem Kopftuchtragen haben sie mich sogar gewarnt. Meine Mutter hat da schon reichlich Erfahrungen sammeln können. Einmal ist sie in einer Verkehrskontrolle von einem Polizisten gefragt worden, ob sie überhaupt einen Führerschein hätte! Als ob man gleich blöd wäre, wenn man ein Kopftuch trägt! Klar ist das nicht so ‚cool' wie grüne Haare, aber für mich gehört es ganz einfach zu meinem Glauben dazu. Im Koran werden die Frauen aufgefordert, sich in der Öffentlichkeit zu bedecken. Und zwar deshalb, damit sie als gläubige Frauen erkannt und nicht belästigt werden, nicht etwa, damit sie demonstrieren, dass sie Muslime sind."

Anja meldet sich: „In der Klasse von meiner großen Schwester sind zwei türkische Mädchen, die keine Kopftücher tragen. Heißt das, dass denen ihre Religion egal ist?" „Nein, das muss das nicht heißen", antwortet Sevim. „Jeder Mensch muss mit sich selber ausmachen, wie er seinen Glauben praktizieren will. Aber die beiden Mädchen in der Klasse von deiner Schwester sind, glaube ich zumindest, keine Muslime so wie wir, sondern Aleviten." „Was ist das nun wieder?", fragt Anja nach. Sevim schaut Rat suchend Frau Schmitz an und die erklärt: „Auch im Islam gibt es verschiedene Konfessionen, ähnlich wie es bei den Christen Katholiken, Evangelische und Orthodoxe gibt. Die meisten Muslime sind Sunniten, zu ihnen gehört auch Sevim. Die Aleviten sind eine andere Gruppierung."

„Noch eine Frage an Sevim – du bist also nicht Fundi geworden?" Diese Bemerkung hatte Kevin schon auf dem Schulhof fallen gelassen. „Vielleicht musst du mir erst einmal erklären, was für dich ein Fundamentalist ist", kontert Sevim. „Wenn du damit meinst, dass gläubige Muslime auf einem festen Fundament stehen, und dass das für sie der Koran ist, dann bin ich tatsächlich Fundamentalistin. Aber wenn das für dich Leute sind, die Bomben schmeißen und Andersdenkende umbringen, dann habe ich damit genauso wenig zu tun wie du!"

„Also, mir scheint, dass wir hier schon mitten in eine Diskussion einsteigen, die wir nicht so nebenher führen sollten", unterbricht Frau Schmitz. „Wir sollten uns lieber in einer Unterrichtseinheit in diesem Schuljahr ausführlich mit dem Thema Islam befassen. Das ist sowieso mal dran. Denn nur wem eine andere Religion nicht mehr ganz so fremd ist, der kann den Vorurteilen, die offenbar auch unter euch verbreitet sind, mit Sachwissen begegnen. Wärst du bereit, Sevim, uns dann etwas von deiner Religion zu erzählen?" „Klar", sagt Sevim. „Ich kann auch mal meinen Vater fragen, ob er uns die Moschee zeigt, in die er immer geht. Dann könnt ihr sehen, dass dort nicht lauter Fundamentalisten 'rumspringen!"

Als Frau Schmitz sich wieder ihrem Unterricht zuwendet, spürt Sevim in sich eine große Erleichterung. Sie ist froh, dass sie ihre veränderte Erscheinung erklären konnte und dass Frau Schmitz offenbar davon unbeeindruckt ist. Während der Freizeit hatten nämlich andere erzählt, dass ihnen ihre Lehrer nur Unverständnis und die Mitschüler Gehässigkeiten entgegengebracht hatten, als sie mit Kopftuch zur Schule kamen. Sevim hatte Angst gehabt, es könnte ihr ähnlich ergehen.

Steffi flüstert ihr zu: „Tut mir leid, was ich da vorhin gesagt habe! Ich hatte ja null Ahnung!" „Schon gut", flüstert Sevim zurück. „Mir ist es viel lieber, ihr stellt Fragen, und seien sie noch so daneben, als wenn ihr hinter meinem Rücken über mich redet." „Darfst du denn jetzt überhaupt noch zu mir kommen?", fragt Steffi. Sevim verdreht erst einmal genervt die Augen: „Nein, natürlich werde ich ab jetzt zu Hause eingesperrt, das bringt ein Kopftuch nun mal so mit sich … Ach, Quatsch, natürlich darf ich zu dir kommen. Wie wär's mit morgen Nachmittag?"

Türkische Miniatur

Eine türkische Familie in Deutschland

Sevim und ihre beiden älteren Schwestern Birgül und Ayse haben der Mutter beim Kochen und Tischdecken geholfen, während ihr kleiner Bruder Mehmet davon mal wieder verschont geblieben ist. Dann ist der Vater aus dem Geschäft nach Hause gekommen und hat das Abendgebet verrichtet. Nun sitzt die Familie Cafak um den großen Esstisch herum und lässt sich das Essen schmecken – einen Eintopf aus Gemüse, Lammfleisch und dazu Fladenbrot. Zu Beginn des Essens hat Herr Cafak wie üblich die ‚Besmele' gesprochen: „Bismillahi rrahmani rrahim". Das heißt „Im Namen Gottes des Erbarmers, des Allbarmherzigen". Herr Cafak sagt das als frommer Muslim vor jedem Essen und eigentlich auch vor allem, was er anfängt.

„Mehmet, komm, iss doch noch was", sagt Frau Cafak gerade. „Hier, ich such dir auch ein besonders schönes Stück Fleisch aus." „Oh, Mutter", stöhnt Ayse. „Er wird schon nicht verhungern. Du musst ihn nicht so verhätscheln." „Genau", stimmt Sevim zu. „Er wird sonst noch ein richtiger Pascha! Am liebsten würde er doch immer noch mit seinem Prunkanzug von der Beschneidung hier 'rumlaufen und wie ein Prinz tun. Schade nur, dass die Klamotten nicht mehr passen!" Dabei zwinkert sie aber Mehmet zu und der streckt ihr die Zunge heraus. Diese Art von Unterhaltung kennen alle schon und sie nehmen sie nicht so ganz ernst. Die Schwestern wissen, wie sehr sich die Eltern gefreut hatten, als sie sechs Jahre nach Sevims Geburt noch einen Jungen bekamen. Ein Sohn ist eben doch noch etwas Besonderes in einer türkischen Familie. Und da er das Nesthäkchen ist, verwöhnen sie ihn ja auch. Zudem spüren die Schwestern, dass sich ihre Eltern darum bemühen, auch ihnen zu ermöglichen, ihren eigenen Weg zu finden. Aber manchmal fühlen sie sich auch zurückgesetzt: Zu dritt müssen sie sich zum Beispiel ein Zimmer teilen, während Mehmet ein eigenes hat. Und ein großes Beschneidungsfest wie für Mehmet, an dem er mit Geschenken und Geld nur so überhäuft worden ist, gibt es für Mädchen nun mal nicht. Frau Cafak hat sie zwar getröstet: „Wartet nur bis zu eurer Hochzeit! Das ist dann euer Fest!" Aber überzeugend fanden die drei das nicht: „Da dürfen wir uns Töpfe und so'n Kram von dem Geld kaufen! Aber Mehmet kauft sich jetzt einen Computer! Das ist doch was ganz anderes." Frau Cafak wusste darauf nichts mehr zu sagen. Sie findet es ja auch sehr schwierig, einen Mittelweg in der Erziehung ihrer Kinder zu gehen.

Viele ihrer Verwandten und türkischen Freunde haben noch sehr traditionelle Vorstellungen, wie Mädchen erzogen werden sollten. Besonders, wenn sie zum Urlaub in die Türkei fahren, müssen sich Herr und Frau Cafak oft heftige Vorwürfe der dortigen Verwandten anhören, seine Töchter würden von der westlichen Gesellschaft verdorben. Auch dass sie sich nur schwer auf Türkisch verständigen können und untereinander Deutsch sprechen, stößt auf Missfallen. Aber die beiden haben sich – vorerst zumindest – entschieden in Deutschland zu leben. Sie weisen deshalb Kritik an ihrem Erziehungsstil zurück und sagen: „Wir vertrauen unseren Töchtern, dass sie die türkischen Traditionen respektieren. Aber sie müssen auch in der deutschen Gesellschaft zurechtkommen. Wir wollen nicht, dass sie Außenseiter sind und es unnötig schwer haben." „Du bist selber schon kein richtiger Türke mehr", muss sich besonders der Vater oft anhören. „Du bist wie die Deutschen!" Aber Herr Cafak fühlt sich eher zwischen allen Stühlen: Die türkische Art zu leben ist ihm ein Stück weit fremd geworden, aber die deutsche Art zu leben mag er sich auch nicht zu eigen machen. Vor zwei Jahren hat er mit seinem älteren Bruder ein Juweliergeschäft eröffnet, das sehr gut läuft. Denn viele junge Leute türkischer Herkunft

Der heilige Bezirk in Mekka und der Berg Arafat – mit dem Pilger-Gelübde in Form eines Baumes

Talbiya, das Pilgerlied
Ich stehe auf, um dir zu dienen, o Gott!
Ich stehe auf!
Ich stehe auf!
Es gibt niemanden, der dir gleicht!

Ich stehe auf, um dir zu dienen!
Wahrlich, dein ist das Lob,
die Wohltätigkeit und das Königreich!
Niemand ist dir gleich!

kommen vor der Hochzeit zu ihm, um sich Goldschmuck zu kaufen, anstatt wie früher dafür in die Türkei zu fahren. Auch der Goldschmuck für Birgüls Hochzeit wird hier, im eigenen Laden, gekauft werden.

Birgül ist 18 Jahre alt und seit dem letzten Urlaub in der Türkei verlobt. Sie arbeitet ebenfalls im Juweliergeschäft, während Ayse, die zwei Jahre jünger ist, noch zur Realschule geht. Sevim ist 14 Jahre alt und sie geht auf das Gymnasium. Darauf ist sie ein bisschen stolz, denn bisher kommen noch nicht allzu viele Kinder türkischer Herkunft auf's Gymnasium. Schade daran ist natürlich, dass sie in ihrer Klasse das einzige türkische Mädchen ist. Sonst wäre das sicher nicht so Aufsehen erregend, wenn sie mit einem Kopftuch zur Schule käme!

„Sevim, hör auf, deinen Bruder zu ärgern, und erzähl uns lieber, wie es dir in der Schule ergangen ist", sagt Herr Cafak. Und Sevim erzählt von der Diskussion in der Klasse um ihr Kopftuch, von dem Verständnis, das Frau Schmitz gezeigt hatte, und von dem Vorhaben, mit der ganzen Klasse die Moschee zu besuchen. „Ich hab gesagt, ich würde dich fragen, ob du uns die Moschee zeigen und erklären könntest", sagt sie.

Herr Cafak nickt: „Das will ich gerne tun. Ich muss es nur rechtzeitig vorher wissen, damit mein Bruder mich im Laden vertreten kann." Frau Cafak freut sich: „Schön, dass deine Mitschüler und deine Lehrerin unsere Religion achten! Du hast es ihnen aber sicher auch gut erklärt. Hat dieses Mädchen, das du vor den Ferien mal besucht hast, dich auch verstanden?" „Du meinst Steffi", antwortet Sevim. „Ja, ich glaube schon. Sie denkt jetzt nur, ich dürfte ab nun gar nichts mehr. Ich hab ihr deshalb versprochen, dass ich sie morgen Nachmittag besuche. Damit sie sieht, dass ein Kopftuch kein Gefängnis ist. Darf ich?" „Hat sie Brüder?", will Herr Cafak wissen. „Du weißt, dass du nicht mit fremden Jungen zusammenkommen darfst!" „Ach, Murat", seufzt Frau Cafak, „das haben wir doch schon mal vor den Ferien diskutiert: Steffi hat keine Brüder und Sevim weiß schon, was geht und was nicht geht. Sei doch froh, dass sie Kontakte auch zu deutschen Mädchen hat und nicht nur zu unseren türkischen Nachbarn!" „Ja, ja, ist schon gut", wehrt Herr Cafak ab. „Ich wollt's ja nur noch mal gesagt haben." „Das ist nicht dauernd notwendig!", sagt Frau Cafak. Ihr Mann sagt lieber nichts mehr. Dass seine Frau aber auch immer das letzte Wort haben muss!

Hoş Geldiniz!

Steffi steht vor der Haustür und sucht auf den vielen Klingelschildern den Namen Cafak. Das ist gar nicht so einfach, denn in diesem Haus scheinen viele türkische Familien zu leben und die fremden Namen klingen für sie alle gleich. Endlich findet sie ‚Cafak' und klingelt. Der Türöffner summt und Steffi stapft die Treppen hinauf. Vor vielen Wohnungstüren stehen Schuhe, auch vor Sevims Türe.

Sevim erwartet sie schon und sagt: „Schön, dass du da bist. Du, könntest du vielleicht deine Schuhe ausziehen?" „Sag mal, habt ihr hier alle Probleme mit Schweißfüßen oder seid ihr so pingelig mit euren Teppichen?", platzt Steffi heraus, streift sich aber doch ihre Schuhe ab. „Warum sieht's hier überall aus wie im Schuhladen?" Sevim lacht: „Also, das hängt damit zusammen, dass wir rein sein müssen, wenn wir unseren religiösen Pflichten nachkommen wollen. Auf der Straße kommt man nun mal mit vielen Dingen in Berührung, die unrein sind ..." „Hundehaufen zum Beispiel?", unterbricht Steffi. „Genau", sagt Sevim, „aber auch anderer Dreck. Wenn wir die Schuhe vor der Wohnung ausziehen, geraten wir gar nicht erst in Gefahr, diese Unreinheit dahin zu bringen, wo wir nachher beten wollen." „Ich dachte, ihr würdet in der Moschee beten", fällt Steffi ein, während sie ihre Jacke an die Garderobe hängt. Seit letzter Woche ist der Islam Thema im Religionsunterricht und weil Steffi sich mit Sevim angefreundet hat, interessiert sie alles, was mit deren Religion zu tun hat. „Na ja, dort ist es natürlich besser, weil wir mit anderen gemeinsam beten", erwidert Sevim. „Aber eigentlich können wir Muslime beten, wo immer wir sind, auch zu Hause. Außerdem können wir nicht fünfmal am Tag zur Moschee rennen. Komm, ich zeig dir mal einen Gebetsteppich!"

Sie führt Steffi ins Wohnzimmer. Aus einem Schrankfach holt sie einen kleinen Teppich, auf dem eine Art Torbogen abgebildet ist und darüber die Kaaba in Mekka. Steffi erkennt das wieder, denn sie hat ein Bild von dem heiligen Bezirk in Mekka in ihrem Religionsbuch entdeckt. „Den Teppich legen wir uns zur Gebetszeit in Richtung Mekka auf den Boden und schon ist unsere private Moschee fertig", erklärt Sevim. „Eigentlich ganz praktisch", findet Steffi. Aber sie hat bereits etwas Neues entdeckt: „Das Buch dort – ist das ein Koran?" Sevim nickt, nimmt das Buch vom Regal und schlägt es auf. Steffi schaut beeindruckt auf die fremde Schrift und fragt: „Sag bloß, du kannst das lesen?" „Noch nicht besonders gut", antwortet Sevim. „Ich lerne es erst noch." „Das ist bestimmt total schwer", meint Steffi. „Englisch ist ja schon schwer genug, aber da kenne ich wenigstens noch die Schrift. Aber das hier ..." „Ich lese jeden Tag ein bisschen und samstags gehe ich in unserer Moschee zu einem Korankurs. Da lernen wir richtig im Koran zu lesen", sagt Sevim. „Meine Mutter erteilt den Unterricht für die Mädchen und für die Frauen. Es gibt nämlich viele Erwachsene, die nicht wissen, was im Koran steht. Die kennen nur das Notwendigste für das Gebet. Im Gebet werden nämlich Teile des Koran auf Arabisch rezitiert."

Bevor Steffi noch fragen kann, was ‚rezitieren' bedeutet, tritt Sevims Mutter ins Wohnzimmer und sagt leicht vorwurfsvoll zu Sevim: „Ich dachte, du kommst mal mit deinem Besuch in die Küche und stellst uns einander vor! Statt dessen hältst du hier Vorträge über unsere Religion!" „Wir wären schon noch gekommen", erwidert Sevim. „Also, Steffi: Das ist meine Mutter." „Und ich bin Steffi", sagt Steffi und reicht ihr die Hand. „Hoş geldiniz, Steffi", begrüßt sie Frau Cafak mit einem Händedruck. „Das heißt ‚herzlich willkommen' auf Türkisch." „Wir wollen zusammen Schulaufgaben machen", erklärt Sevim. „Prima", freut sich Frau Cafak. „Dann könnt ihr ja vielleicht auch Mehmet helfen. Er sitzt in der Küche und kommt mal wieder mit seinen Aufgaben nicht zurecht." „Schon wieder!", stöhnt Sevim. „Mehmet ist mein kleiner Bruder. Dauernd muss ich ihm helfen." „Ich hab doch kaum noch Zeit", verteidigt sich ihre Mutter. „Ich muss gleich weg. Aber vorher mach' ich euch noch einen Tee und bringe euch Kuchen."

„Ist das eine Art von Bestechung?", fragt Steffi, während sie in dem Zimmer verschwinden, das sich Sevim mit ihren zwei älteren Schwestern teilt. Sevim schmunzelt: „Nein, das ist die sprichwörtliche orientalische Gastfreundschaft!"

Das Porträt

Sevim sitzt vor ihrem leeren Zeichenblatt, kaut auf ihrem Bleistift und denkt angestrengt nach. Vor ihr rutscht Steffi ungeduldig auf dem Stuhl hin und her. „Mensch, wird das heute noch was?! Fang doch endlich an? So schwer ist das doch gar nicht!" „Psst!", macht Sevim mit einem raschen Blick zu Herrn Clemens, dem Kunstlehrer. Aber ihre Sorge, er könne Steffis Worte gehört haben, ist unbegründet: Die Kunststunden sind sowieso nie ganz leise und die Aufgabe sich gegenseitig zu porträtieren, sorgt für viel Gekicher und Gerede.

Nach kurzem Zögern sagt Sevim leise: „Ich kann das nicht!" „Was soll das denn heißen?!", regt sich Steffi auf. „Du hast es doch noch nicht einmal versucht! Fang einfach an! Ich versprech dir auch nicht zu lachen!" „Nein, so mein ich das gar nicht", erwidert Sevim. „Ich denke schon, dass ich dich malen könnte ... Aber ich kann es trotzdem nicht." Steffi schaut sie an, als würde sie langsam an Sevims Verstand zweifeln: „Ich kapier überhaupt nichts!" Sevim zögert, aber dann sagt sie: „Ich kann es nicht wegen meines Glaubens!" „Sag bloß, eure Religion verbietet euch das Malen?!" Steffi kann es nicht fassen. Sevim seufzt. In solchen Augenblicken denkt sie manchmal, wie viel einfacher es doch wäre, in einer Umwelt zu leben, für die der Islam selbstverständlich ist und man nicht immer alles erklären müsste. Aber sie versucht es: „Na ja, nicht grundsätzlich das Malen. Aber bestimmte Dinge dürfen wir eben nicht bildlich darstellen. Das ist natürlich Gott. Von dem dürfen wir überhaupt kein Bild oder eine Plastik machen. Aber wir denken auch, dass wir nichts bildlich darstellen dürfen, was Gott mit einer Seele geschaffen hat. Und darum kann ich keinen Menschen malen."

In dem Moment tritt Herr Clemens zu den beiden, schaut kurz auf Sevims leeres Blatt und sagt: „Wie wär's, wenn ihr beiden mal aufhören würdet zu schwätzen! Wendet euch lieber eurer Aufgabe zu! Auch eine Doppelstunde dauert nicht ewig." Dann geht er weiter.

Steffi schneidet hinter seinem Rücken eine Grimasse und sagt leise zu Sevim: „So ganz verstehe ich das zwar immer noch nicht. Aber irgendetwas musst du jetzt machen! Oder meinst du, der kapiert das, was du mir gerade erklärt hast?!" „Ich glaub's eher nicht", muss Sevim zugeben. Aber was sie tun soll, weiß sie auch nicht. Nach einigem Grübeln hat Steffi eine Idee: „Weißt du was? Mal mich einfach als Baum!" Jetzt ist es Sevim, die sie anguckt, als würde sie an ihrem Verstand zweifeln. Sie fährt fort: „Weißt du, es gibt so ein Gedicht von einem türkischen Dichter. Das gefällt mir total gut. Und der Schluss lautet: ‚Leben, einzeln und frei wie ein Baum, dabei geschwisterlich wie ein Wald – das ist unsere Sehnsucht'." „Das ist von Nazim Hikmet", weiß Sevim. „Meinetwegen", sagt Steffi ungeduldig. „Jedenfalls ist das so ein Ideal von Leben, das ich für mich selbst auch verwirklichen möchte. Und darum meine ich, dass du ein prima Bild von mir malen kannst, wenn du einen schönen Baum hinkriegst – aber es muss so aussehen, dass noch andere Bäume dabei sind, wegen des Waldes!" „In Ordnung", stimmt Sevim noch nicht ganz überzeugt zu, aber doch erleichtert über diesen Ausweg.

Sie beugt sich über ihr Blatt und fängt an, zu zeichnen, vorsichtig zuerst, dann immer sicherer und eifriger. Während sie malt und sich darüber freut, wie langsam ein Bild entsteht, spürt sie in sich noch eine andere Freude: Die Freude darüber, dass sie sich von Steffi verstanden fühlt. Vielleicht versteht Steffi die religiösen Gründe für ihr Verhalten nicht ganz und das liegt sicher auch an ihr, weil es ihr nicht leicht fällt, alles zu erklären. Aber wichtig ist, dass Steffi

Mosaik aus dem Alcazar in Sevilla

überhaupt bereit ist, zu verstehen und nach Möglichkeiten zu suchen, wie sie mit schwierigen Situationen umgehen kann.

Steffi sitzt derweil immer noch wie ein Modell auf ihrem Stuhl. Ab und zu guckt sie nach, wie Sevims Bild sich langsam entwickelt. Sie sagt: „In der Bibel steht übrigens auch so was: ‚Du sollst dir kein Bildnis machen.' Aber es ist nur auf Gott bezogen. Und die Christen haben das offenbar nie so ganz ernst genommen. Jedenfalls war ich mal mit meinen Eltern in Rom. Dort gibt es eine ganz berühmte Kapelle mit Deckenmalereien von Michelangelo, auf denen Gott sehr deutlich dargestellt wird – wie ihn sich Kinder immer vorstellen: Als alter Mann mit langem Bart!" Sevim gibt zu: „Auch im Islam halten sich nicht alle an das Bilderverbot. Es gibt zum Beispiel eine ganze Serie mit Hunderten von Bildern aus dem Leben unseres Propheten. Da wird zwar nicht Gott gezeigt und bei Muhammad ist immer das Gesicht mit einem Tuch bedeckt, aber ansonsten sieht man jede Menge Menschen auf diesen Bildern. Die hat mal ein türkischer Herrscher im Mittelalter malen lassen." „Ich überlege gerade", sagt Steffi, „was bei euch zu Hause an den Wänden hängt. Da waren doch auch irgendwelche Bilder!" „Stimmt", sagt Sevim. „Das sind Kalligraphien. Das ist eine Art von Kunst mit arabischer Schrift, wo es darum geht, Verse aus dem Koran in einer besonders schönen Weise zu malen. Das sind Bilder, die sich auch gläubige Muslime gerne an die Wand hängen."

Herr Clemens ist auf seinem Rundgang wieder bei den beiden angekommen, schaut sich Sevims Bild an und sagt missbilligend: „Die Aufgabe war nicht einen Baum oder einen Wald zu malen, sondern ein Porträt anzufertigen! Ich kann dir jetzt schon versichern, Sevim, dass das keine besonders gute Note geben wird. Du hast ganz klar die Aufgabe verfehlt!" „He, Moment mal!", protestiert Steffi. „Sehen Sie denn nicht, dass das ein Porträt von mir ist?!" „Ach, wirklich?", erwidert Herr Clemens spöttisch. „Sitzt du vielleicht hinter den Blättern, so dass ich dich deswegen nicht sehen kann?!" „Quatsch", sagt Steffi. „Ich bin der Baum. So sehe ich mich eben, ob Sie's glauben oder nicht!" „Es ging mir nicht um Symbolik, sondern um die Kunst, ein menschliches Porträt zu zeichnen", gibt Herr Clemens zurück. „Aber so was ist doch sowieso völlig out", meint Steffi verächtlich. „Gehen Sie doch mal in ein Museum für moderne Kunst. Da hängt nirgendwo ein Porträt!" „Also, für eine solche Diskussion habe ich jetzt keine Zeit", beendet Herr Clemens das Gespräch. „Am besten bleibt ihr beiden nach der Stunde kurz hier, dann reden wir weiter. Mich würde auch sehr interessieren, was Sevim selbst zu ihrem Bild zu sagen hat!" Er wendet sich ab und geht nach vorne zu seinem Pult, um die Stunde zum Abschluss zu bringen.

Ein Besuch in der Moschee

Endlich ist es soweit: Nachdem die Klasse sich im Religionsunterricht schon eine ganze Weile mit dem Thema Islam beschäftigt hat, unternimmt sie heute eine Exkursion in die Moschee. Sevim als die einzige türkische Schülerin in der Klasse nimmt normalerweise nicht am Religionsunterricht teil, aber während dieser Unterrichtseinheit war sie regelmäßig dabei, hat Auskunft über ihre Religion gegeben und nun auch den Moscheebesuch vermittelt. Sie genießt es, dass einmal alles anders ist als sonst: Sie mit ihrer anderen Herkunft und ihrer anderen Religion ist nicht Außenseiterin, sondern sie steht genau damit im Mittelpunkt. Nicht sie ist diesmal ‚fremd', sondern die anderen, sie ist die ‚Insiderin'.

Nun steht sie mit ihren Klassenkameradinnen und -kameraden vor der Moschee und die ersten enttäuschten Äußerungen werden laut: „Was, das soll eine Moschee sein?! Das sieht ja aus wie ein ganz normales Haus!" – „Wo ist denn hier das Minarett?" – „Warum gibt es keine Kuppel wie auf den Fotos in unserem Buch?" – „Sind wir hier überhaupt richtig?!"

Frau Schmitz, die Lehrerin, hat etwas Mühe für Ruhe zu sorgen: „Hebt euch diese Fragen für nachher auf! Ihr bekommt bestimmt eine Antwort darauf. Jetzt gehen wir erst einmal hinein. Denn wir sind hier schon richtig!" Sie wendet sich an Sevim: „Müssen wir irgendetwas beachten, wenn wir hineingehen?" „Klar", ruft Steffi dazwischen. „Wir müssen alle die Schuhe ausziehen. Hoffentlich habt ihr eure Füße gewaschen und keine kaputten Socken an!" „Ich freue mich zwar, dass wir endlich mal ein Thema haben, was dich interessiert, Steffi. Aber ich würde mich noch mehr freuen, wenn du nicht so vorlaut wärst", ermahnt Frau Schmitz. „Zeigst du uns, wo es langgeht, Sevim?"

Gleich hinter der Eingangstüre sind Regale angebracht, auf denen schon ein Paar Schuhe stehen. Dort stellen nun die Schülerinnen und Schüler ihre Schuhe ebenfalls ab. Der Boden ist mit einem angenehm weichen Teppich bedeckt. Durch eine Tür tritt Sevims Vater in den Eingangsbereich und begrüßt sie: „Mein Name ist Murat Cafak und ich heiße euch herzlich willkommen in unserer Moschee. Ich bin sehr froh, dass ihr euch für unseren Glauben interessiert. Denn nur wenn wir uns gegenseitig besser kennen lernen, können wir in Toleranz miteinander leben. Bitte, kommt doch mit in den Gebetsraum und schaut euch erst einmal in aller Ruhe um!" Er öffnet die Tür, durch die er selbst gekommen war und macht eine einladende Handbewegung.

Die Jugendlichen treten in einen großen Raum, der – bis auf mehrere übereinander gestapelte kleine Hocker – keine Möbel enthält, sondern nur mit Teppichboden ausgelegt ist. Das Muster des Teppichs verläuft nicht parallel zu einer Wand, sondern eher diagonal durch den Raum. Es ist auf eine Ecke ausgerichtet, die wie ein prächtiger Torbogen gestaltet ist. Rechts daneben befindet sich eine kleine Treppe, die aber nirgendwohin zu führen scheint. An den Wänden sind arabische Schriftzüge zu sehen.

Während die Schülerinnen und Schüler diese Eindrücke in sich aufnehmen, hat Sevim ihren Vater mit Frau Schmitz bekannt gemacht. Nun ruft er alle zu sich in die Ecke mit dem Torbogen und fordert sie auf, sich im Halbkreis davor auf den Boden zu setzen. Dann sagt er: „Ich möchte euch erst die wichtigen Teile der Moschee erklären. Danach habt ihr genügend Zeit, alle eure Fragen loszuwerden." Er zeigt auf den Torbogen und fährt fort: „Wir sitzen hier vor der sogenannten Gebetsnische, die uns die Gebetsrichtung nach Mekka anzeigt. Ihr wisst ja, dass wir Muslime uns beim Gebet immer nach Mekka wenden. Auf Arabisch heißt diese Gebetsnische übrigens Mihrab. Darüber steht in arabischer Schrift ein Vers aus unserem heiligen Buch, dem Koran. Dieser Vers bezieht sich darauf, dass unser Prophet Muhammad – Friede sei mit ihm – von Gott während eines Gebetes aufgefordert wurde, sich von nun an beim Gebet nicht mehr nach Jerusalem, sondern nach Mekka zu wenden. Und seitdem beten wir Muslime stets in Richtung Mekka. Deshalb ist auch der Teppich so gelegt, dass die Gläubigen beim Gebet sich am Verlauf des Musters orientieren können."

Nun deutet Herr Cafak auf die kleine Treppe und erklärt: „Dies hier ist eine Kanzel. Während des Freitagsgebetes – unseres wichtigsten Gebetes – steigt der Prediger dort hinauf und hält eine kurze Predigt. Diese Predigt soll ein religiöses Thema behandeln. In manchen Moscheen wird dann eher eine politische Rede gehalten, aber das sollte eigentlich nicht so sein und ist es bei uns auch nicht ... Und am Freitag vor dem eigentlichen Freitagsgebet legt hier der Imam sehr ausführlich einen Abschnitt aus dem Koran aus. Ja, und eigentlich sind das beides – die Gebetsnische und die Kanzel – schon die wesentlichen Bestandteile einer Moschee. Diese beiden Teile sind in jeder Moschee vorhanden. Und dann noch ein Ort, an dem wir die vor dem Gebet vorgeschriebenen Waschungen vornehmen können, also ein Brunnen, oder, wie bei uns im Keller, ein Waschraum."

Damit ist Herr Cafak am Ende seiner Ausführungen angekommen und er fordert die Jugendlichen auf, Fragen zu stellen. Nach einer kleinen Verlegenheitspause meldet sich Michael: „Warum gibt es hier kein Minarett? Ich dachte, wenn irgendetwas unbedingt zu einer Moschee gehört, dann auf jeden Fall das Minarett!" Herr Cafak nickt: „Ja, in der Türkei haben die Moscheen alle ein Minarett. Und viele Muslime wünschen sich das für die Moscheen in Deutschland auch. Aber dafür müssten neue Moscheen gebaut werden. Das kostet erstens sehr viel Geld und zweitens stößt das immer wieder auf Schwierigkeiten mit den Behörden und mit der Bevölkerung. Deshalb haben wir in der Regel einfache Räume angemietet und in Eigeninitiative umgebaut, die ursprünglich ganz anderen Zwecken dienten. Dieses Haus war zum Beispiel vorher eine kleine Lagerhalle. Natürlich könnten wir uns darum bemühen, ein Minarett errichten zu dürfen. Aber wir wollen mit der Nachbarschaft in Frieden leben und keine unnötigen Konflikte heraufbeschwören. Deshalb nehmen wir mit einem sehr unscheinbaren Minarett vorlieb." Und Herr Cafak zeigt auf ein kleines Podest am hinteren Ende des Raumes. „Dorthin stellt sich unser Muezzin und ruft zum Gebet. Das ist aber dann nur für die Leute zu hören, die hier in der Moschee sind."

Vanessa meldet sich: „Wer bezahlt eigentlich die Leute, die hier alle arbeiten, also den Muezzin oder den Imam? Und wer bezahlt die Miete für dieses Haus? Haben Sie auch so eine Art Kirchensteuer oder wie geht das?" Herr Cafak antwortet: „Wir haben keine Kirchensteuer weil wir auch nicht so eine Institution wie eine Kirche sind. Wir sind ein Verein. Die Leute können Mitglied werden und Beiträge zahlen oder sie spenden Geld. Und unser Imam wird von der Türkei bezahlt. Sonst könnten wir uns keinen Geistlichen leisten. Wer ansonsten hier arbeitet, tut das ehrenamtlich. Meine Frau zum Beispiel gibt hier Koranunterricht für Frauen und Mädchen, ohne dafür Geld zu bekommen."

Anja möchte wissen: „Wie ist das überhaupt mit den Frauen? Dürfen sie in die Moschee kommen?" „Aber natürlich", antwortet Herr Cafak. „Sie haben allerdings eigene Räume, wo sie sich treffen können. Das ist nun mal so in unserer Religion, dass Männer und Frauen je ihre eigenen Bereiche

Kuppel über dem Mihrab (Gebetsnische) der großen Moschee von Cordoba, Spanien

haben." „Aber warum das denn?", fragt Anja. Herr Cafak seufzt: „Das ist ein schwieriges Thema. Es hängt mit dem unterschiedlichen Rollenverständnis zusammen. Wir Muslime gehen eben nicht davon aus, dass Männer und Frauen völlig gleich sind. Sie sind zwar gleichberechtigt, aber ihre Rechte sind nicht identisch. Ein Mann hat andere Aufgaben und von daher auch andere Rechte und Pflichten, die mit denen der Frau nicht zu vergleichen sind. Das gleiche gilt umgekehrt. Ich weiß: Hier in Deutschland denken viele, eine türkische Frau hätte gar nichts zu sagen, aber das stimmt nicht!" „Na ja, bei Ihnen vielleicht nicht ...", flüstert Anja, wenig überzeugt, vor sich hin.

Frau Schmitz meldet sich zu Wort: „So leid es mir tut, aber wir müssen langsam aufbrechen. Sonst kommen wir nicht mehr rechtzeitig zur nächsten Stunde in die Schule zurück. Vielen Dank, Herr Cafak, dass Sie sich extra für uns Zeit genommen haben!" „Das habe ich gerne gemacht", sagt Herr Cafak lächelnd. „Und wenn ihr noch mehr Fragen habt, dann wird sie euch Sevim sicher beantworten können. In dem Punkt halte ich es mit unserem Propheten Muhammad – Friede sei mit ihm –, der die Muslime dazu aufgefordert hat, einen Teil der Religion von seiner Frau Aischa zu lernen. – Er hat den Frauen also durchaus was zugetraut!"

Ein Schulhofgespräch über islamische Feste

Weihnachten steht vor der Tür. In der Pause stehen ein paar Schülerinnen und Schüler zusammen und unterhalten sich darüber, wie sie die Feiertage und die Ferien verbringen werden, was sie sich gewünscht haben und was sie selber verschenken wollen. Sevim tritt zu ihnen und hört erst einmal zu. Michael erzählt gerade, dass er mit seinen Eltern zum Schifahren in die Berge fahren wird.

Kevin sagt neidisch: „Mensch, so gut möchte ich's auch mal haben! Bei uns ist nur Familienfeier angesagt: Am Heiligabend gibt's ein großes Festessen und dann Bescherung. Am ersten Feiertag müssen wir zu meinen einen Großeltern und am zweiten Feiertag zu den anderen Großeltern. Ich bin jedes Jahr froh, wenn das vorbei ist." Vanessa widerspricht: „So schrecklich ist das doch gar nicht. Bei uns läuft das ähnlich ab, aber ich finde diese festliche Stimmung schön." „Aber irgendwie ist das doch auch künstlich", wirft Dominik ein. „Zum Beispiel gehen wir das ganze Jahr nicht zur Kirche – aber am Heiligabend muss ich natürlich hin!"

„Na, auf irgendeine Weise muss doch 'rüberkommen, dass Weihnachten ursprünglich ein religiöses Fest ist", mischt sich jetzt Sevim ein. „Meine Eltern haben mir mal erzählt, sie hätten in der ersten Zeit, als sie hier waren, überhaupt nicht gewusst, dass der ganze Weihnachtsrummel etwas mit der Geburt Jesu zu tun hat." „Aber die Geburt Jesu kannten sie?!", fragt Vanessa etwas erstaunt. „Ja, klar", antwortet Sevim. „Die Geschichte von Jesu Geburt steht schließlich im Koran." „So richtig mit Stall und Krippe und so?!" „Na, ein bisschen anders schon. Und vor allem ist für uns Muslime wichtig, dass da nicht Gottes Sohn geboren ist, sondern ein Mensch, wenn auch ein besonderer Mensch, nämlich ein Prophet. Aber dass Maria eine Jungfrau war, steht auch im Koran", erklärt Sevim.

Dominik fragt: „Feiert ihr denn auch Jesu Geburt?" „Nein", antwortet Sevim. „Bei manchen Muslimen ist es inzwischen nur Brauch geworden, die Geburt Muhammads zu feiern. Aber ich glaube, das haben wir uns von den Christen ‚abgeguckt', denn eigentlich zählt auch das nicht zu den religiö-

Persische Miniatur, um 1560

sen Festen. Ursprünglich gibt's bei uns nur zwei Feste." „Und was sind das für welche?", will Dominik wissen. Sevim erklärt: „Also, das wichtigste Fest ist bei uns das Opferfest. Da erinnern wir uns an Abraham und dass er bereit war aus Gehorsam gegenüber Gott seinen Sohn zu opfern ..." „Hey", unterbricht Vanessa. „So was ähnliches steht doch auch in der Bibel!" „Ja", bestätigt Sevim. „Es gibt da eine ganze Menge Ähnlichkeiten. Viele Personen, die in der Bibel vorkommen, die kommen auch im Koran vor. Zum Beispiel Jesus, Abraham, Noah, Moses, Johannes und noch ein paar mehr. Aber unser zweites Fest hat, glaube ich, keine Anknüpfungspunkte in der Bibel. Das ist das Fest des Fastenbrechens, das feiern wir am Ende von unserem Fastenmonat Ramadan."

„Und gibt's bei irgendeinem von euren Festen auch Geschenke?", fragt Kevin. Sevim antwortet: „Ja, zumindest bei uns Türken ist es Brauch, zum Fest des Fastenbrechens den Kindern Geschenke zu machen: Da gibt es neue Klamotten und vor allem viele Süßigkeiten. Deshalb nennen wir dieses Fest auch ‚Zuckerfest'." „Oh, das wäre aber nichts für mich", sagt Vanessa, die seit einiger Zeit sehr auf ihre Linie achtet. „Ich wollte aber noch wissen, wie das mit dem Opferfest ist: Wird da wirklich noch was geopfert?" „Also, nicht so mit Feuer, oder wie du dir das vorstellst", antwortet Sevim. „Aber wir schlachten ein Schaf oder einen Hammel und wir geben von dem Fleisch an Leute weiter, die sich das nicht leisten können. Und weil das mit dem Schlachten, jedenfalls dem Schlachten, wie es unsere Religion vorschreibt, hier etwas schwierig ist, lassen viele auch ihre Verwandten in der Türkei ein Tier schlachten und sie selber spenden hier Geld für einen sozialen Zweck."

„Was ist denn am Schlachten das Problem?", will Michael wissen. Sevim erklärt: „Wenn ich das richtig verstanden habe, dann sollen wir ein Tier so schlachten, dass es ganz ausbluten kann. Da wird mit einem Schnitt die Halsschlagader durchgeschnitten ..." „Igitt," schüttelt sich Vanessa. „Das ist doch Tierquälerei!" „Na ja, Tiere wie am Fließband abzuknallen zähle ich viel eher zu Tierquälerei", widerspricht Sevim. „Aber jedenfalls ist das auch der Punkt, weshalb die islamische Art zu schlachten hier nicht erlaubt ist. Das soll eben dem Tierschutzgesetz widersprechen. Aber bei uns wird jedes einzelne Tier doch wenigstens noch als ein Geschöpf betrachtet. Man spricht zum Beispiel Koranverse, bevor man es schlachtet. Welches Tier kriegt so was schon in einem normalen Schlachtbetrieb zu hören?!"

Da kamen ihr die Wehen
am Stamm einer Palme und sie sprach:
Oh, wäre ich doch vorher gestorben
und ganz und gar in Vergessenheit geraten.
Da rief er ihr von unten zu: Sei nicht betrübt.
Dein Herr hat unter dir Wasser fließen lassen.
Und schüttle den Stamm der Palme
gegen dich, so lässt sie frische Datteln
auf dich herunterfallen.

Sure 19, 21-24

ÜBER GRENZEN SCHAUEN –

WUNDER UND OKKULTISMUS

Wenzel Hablik, 1909

155

Voodoo

Auf dem Weg zum großen Eingeweihten
Ich bin Cyprien Tokoudagba, Künstler aus Benin, 58 Jahre alt.

Vor 35 Jahren habe ich mit der künstlerischen Arbeit begonnen. Angefangen habe ich mit dem Modellieren in Lehm und Ton, dann mit Zement und Sand. Das war meine Bestimmung. Mein Vater Toha war künstlerisch als Weber tätig.

Auch ich bin mit einer künstlerischen Begabung zur Welt gekommen. In der Grundschule zeichnete ich mit Leidenschaft und erhielt vom Lehrer oftmals Lob und Anerkennung. Es ist eine Gabe mit seinen Händen alles machen zu können, was man will. Bereits in jungen Jahren verdiente ich Geld mit Gemälden.

Der Großvater meines Großvaters ist aus der Region von Mono an der togoischen Grenze nach Adja-Tado gekommen. Er war ein mächtiger Krieger. Aus diesem Grunde ließ König Houegbadja seine Familie nach Abomey kommen und machte ihn zu seinem Premierminister. Der Vater meines Großvaters, Adedji, war Premierminister von König Guézo. Mein Großvater wiederum von König Guelêlé. Nach dessen Tode behielt ihn sein Sohn, König Gbéhanzin, als Premierminister und gab ihm unseren Namen: Tokoudagba.

Als ich jung war, schickte mich mein Vater auf meinen Wunsch hin in eine Art Kloster. Genauer gesagt: Er schickte mich zu einem Voodoo-Priester, einem Fetisch-Priester, einem Meister der Initiation, der Einweihung. Die Überlieferung geschieht ausschließlich mündlich. Diese Einweihung dauert sechs Monate, während der man den Voodoo-Priester nicht verlässt. Ist man einmal eingetreten, kann man nicht mehr zurück. Es ist schwer, denn es gibt Regeln, Gesetze und eine strenge Disziplin, die zu befolgen sind. Die Geheimnisse, die uns eröffnet werden, dürfen niemals preisgegeben werden. Man muss allen Versuchungen widerstehen. Es ist eine Lehre. Man erwirbt das Wissen, Fetische herzurichten, die Macht der Wörter zu nutzen, damit die Formeln ihre Wirkung tun und die Geheimnisse der Pflanzen zu deuten. Es ist die Qualität des Wissens, die auf den Fetisch-Priester Kraft überträgt.

Alle diese Geheimnisse dürfen niemals weitergegeben werden, außer man ist selbst Priester und jemand bittet um Initiation. Man muss alles im Kopf behalten können und selbst die Fähigkeit besitzen, dem Einzuweihenden alles vermitteln zu können. Heute bin ich nur ein Schüler. In zwei Jahren werde ich zweifellos ein großer Eingeweihter sein.

Jede Familie, die zu den Voodoo-Eingeweihten gehört, betet zu einem oder mehreren Göttern. In den Zeiten der Sklaverei ging jeder, von seinen Voodoo-Göttern begleitet, fort. Nur sie konnten einem noch Halt bieten.

Alles was ich dir sagen werde, ist wirklich sehr wichtig. Und du wirst es auch in meinen Wandmalereien, in meinen Bildern und Skulpturen wieder antreffen.

Die Familie Tokoudagba betet zu sechs Göttern:
- dem Gott des Wassers: *Tohossou*. Sein Symbol ist ein Monster mit großem Kopf und kurzen Armen. Seine Zeichen, immer Schwarz und Rot, sind Kreise (Ounguede), kleine Punkte (Hotita), Quadrate (Lulukpinkpa) und Striche (Damimi);
- dem Gott des Himmels: *Agassou*. Sein Symbol ist der Löwe oder der Panther. Seine Zeichen sind die Tiere;

- dem Gott der Natur: *Sêgbolissa*. Seine Symbole sind das Chamäleon und das große Messer;
- dem Gott der Erde: *Sagbata* (die Pocken), dessen Symbol eine mit Lendenschurz bekleidete Person ist. Seine Zeichen sind rote und schwarze Flecken;
- dem Gott der Schlange (des Regenbogens): *Dan*. Sein Symbol besteht aus einem Regenbogen mit Schlangenkopf;
- dem Gott des Eisens: *Gou*, dessen Symbol eine Figur aus Eisen ist, die Instrumente aus dem gleichen Material trägt.

Das sind die Götter, die gut zu unserer Familie waren. Ihnen zu Ehren veranstalten wir deshalb jedes Jahr eine Zeremonie.

Cyprien Tokoudagba

Cyprien Tokoudagba, 1994

Der Medizinmann zieht Frauenkleider an, um besser tanzen zu können

Wie ein afrikanisches Medizinmann-Ritual ablaufen kann – es gibt tausende Variationen –, zeigt ein Beispiel aus dem kleinen Dorf Yoff in Senegal. Yoff liegt am Meer. Die traditionelle Lehmbauweise wurde hier, in der Nähe der Hauptstadt Dakar, durch grauen Ziegelbau ersetzt.

An diesem Abend beginnt das sogenannte Ndoep, ein Ritus zur Heilung von Geisteskranken. Daoda, der Medizinmann und Priester, der die Heilung leiten soll, zieht sich für die Zeremonie Frauenkleider an, um besser tanzen zu können, wie er sagt.
Es ist acht Uhr. Eine kleine Stube, etwa vier Quadratmeter. Sieben alte Frauen, über und über mit Amuletten behängt. Es sind die Kulthelferinnen Daodas. Die Kranke wird hereingeführt und auf den Boden gesetzt. Eine der alten Frauen hebt eine Schale mit saurer Milch hoch. Sie schlürft einen Schluck und spuckt die Milch auf den nackten Oberkörper der Kranken. Nach und nach leert die Kulthelferin die ganze Schale. Sie spuckt die saure Milch gegen die Schultern des Mädchens, ins Gesicht, über die Brüste. Dann wird die Kranke massiert und wieder angezogen. Sieben Trommler betreten den Raum. Der eine beginnt eine lang getragene Phrase zu trommeln – wie um die Götter herbeizubeschwören. Die anderen Trommler fallen ein. Sie bringen ihre Instrumente ganz nah an den Kopf des kranken Mädchens. Daoda schlägt mit einem Holzklöppel auf eine Metallscheibe.

Das Mädchen beginnt zu zittern, wälzt sich auf dem Boden. Sie vollführt mit den Armen die Geste des Paddelns. Schließlich redet sie in einer unverständlichen Göttersprache; der Rab, der Gott, der sie besessen hat und der sie krank macht, weil er unzufrieden ist, redet aus ihr heraus. Daoda unterhält sich mit dem Gott.

Das Mädchen legt sich neben den Stier und umarmt seinen Körper

Am nächsten Tag findet das Tieropfer statt. Vor dem Haus ist ein kleiner, zahmer Stier angebunden. Er wird ans Meer getrieben – das ganze Dorf läuft hinterher, prozessionsartig folgen Daoda, die heiligen Frauen, die Kranke, Trommler. Einige Männer zerren den Stier in die Brandung, stoßen ihn mit dem Kopf in den Sand, er stürzt, die Wellen waschen über ihn hinweg. Als der Stier sich wieder aufgerichtet hat, wird das kranke Mädchen auf seinen Rücken gesetzt. Zurück ins Dorf. Im Hof wird der Stier gefesselt und umgestoßen. Die Kulthelferinnen platzieren Kopfkissen neben die Hörner. Das Mädchen legt sich neben den Stier und umarmt seinen Körper.

Weiße Tücher, schwarze Tücher werden über beide geworfen. Trommeln. Stundenlange Tänze. Ein Mädchen beginnt zu weinen und kriecht zu der Kranken unter die Tücher. Die Decken werden hochgerissen. Jubel. Die beiden wieder auferstandenen Mädchen setzen sich in Trance auf das Tier. Ein Schlachter schneidet dem Opferstier den Kopf ab. Das Blut wird in einer Schüssel aufgefangen und zum Familienaltar gebracht. Dort wäscht man die beiden Mädchen mit Blut. Nackt und rot sitzen sie vor dem Altar. Das Blut muss an ihrem Körper trocknen. Der Stier wird zerlegt. Daoda schlingt Därme des Opferstieres um das kranke Mädchen. Sie muss eine Nacht lang damit schlafen.

Hubert Fichte

Voodoo

Dem deutschen Völkerkundler Thomas Maler gelang es, die Bräuche der Digos – eines Bantuvolkes, das in kleinen Dörfern im Küstengebiet lebt – zu studieren. Dabei fotografierte er, wie eine 30-jährige unfruchtbare Frau behandelt wurde. Sie hatte sich nach neunjähriger Ehe an die Medizinmänner ihres Stammes gewandt und diese erklärten sich bereit, den für Kinderlosigkeit verantwortlichen Geist zu beschwören. Die Fotos und Erklärungen auf dieser Seite stammen aus seinem Bericht:

Die Zeremonie begann damit, dass Kulthelfer Wasser und Blüten über die Frau schütteten (1), um sie von Krankheitsgeistern zu reinigen. Ein Medizinmann stellte Fetische auf (2) und weihte seinen Orakelstab mit dem Blut eines geschlachteten Huhns (3). Unter Trommelschlägen (4) konzentrierte sich ein weiblicher Medizinmann auf das Nahen des angerufenen Geistes Pungahewa (5).
Danach beruhigt sie eine ältere Frau, die bei der Zeremonie hysterisch zu schreien begonnen hatte. Die unfruchtbare Patientin unterlag nach mehreren Stunden dem Zwang der monotonen Musik und verfiel in einen hypnotischen Trancezustand. Ihr schriller Schrei verriet, dass der Geist in ihren Körper gefahren war. Einer der Medizinmänner beschwor ihn, seine Wünsche zu nennen. Sobald sie erfüllt waren – durch Übergabe von Geschenken und Schlachten eines Tieres –, verschwand der Geist. Nach Ende des Rituals führte das ganze Dorf die Patientin an einen Tümpel und überschüttete sie mit Blüten und Wasser. Zwei Medizinmänner opferten dem Geist im Tümpel noch ein Huhn, um ihn endgültig zu verjagen. Die Behandlung war jetzt abgeschlossen. Erschöpft wankte die Frau nach Hause. Wie Thomas Maler berichtete, wurde sie wenige Wochen später schwanger.

Die Seele bringt er uns zurück

„Kommt her zu mir alle, die ihr mühselig und beladen seid, ich will euch erquicken!" In meiner alten Bibel stehen die Worte als sogenannter ‚Heilandsruf'; so habe ich sie auch noch im Ohr.

Ich versuche mir vorzustellen, wann und wie er diese Worte wirklich gesagt haben kann: Da bin ich wieder in seinem Haus und finde ihn, heimgesucht vom Andrang der Hoffnung und der Suche nach Hilfe, die ihm kaum eine Minute des Alleinseins gönnen. Dass es so viele sind, entmutigt die anderen, die auch noch kommen wollen, und seine Freunde sagen: Es ist nun genug! Er aber: „Kommt her, kommt nur alle, die ihr mühselig und beladen seid, ich will euch erquicken!" Was heißt das: ‚erquicken'? Was tut er mit ihnen?

Wenn ich das Wort erquicken aus der Sprache des Neuen Testaments zurückübersetze in das Aramäische, die Muttersprache Jesu, oder in die Sprache der Psalmen, stoße ich auf eine sehr anschauliche Wendung: die Seele zurückbringen. Und das ist es, was er tut: Ihnen allen bringt er die Seele zurück. Den Armen gibt er das Bewusstsein ihres Wertes wieder, den Verlorenen das Gefühl, lange gesucht zu sein; Verirrten öffnet er eine neue Perspektive und den schuldig Gewordenen die Möglichkeit, neu anzufangen. Die erschöpft im Staube liegen, stehen auf und finden einen Weg; Frauen entdecken ihre Würde und richten sich auf; sie alle leben nicht mehr nebeneinander her, sondern gehen aufeinander zu. Sie haben tatsächlich in seinen Worten das Reich Gottes entdeckt wie einen auf ihrem Acker vergrabenen Schatz.

Mir fallen noch andere Geschichten ein, die davon erzählen: Da ist ein Mann, den hat der Aussatz für die anderen unberührbar gemacht, niemand kann sagen, woher das kam. Er kommt und sagt zu Jesus: Wenn du es wolltest, dann könnte ich wieder gesund sein! Und Jesus: Ich will es! Er überwindet den Ekel und die Angst und legt den Arm um seine Schultern und der Mann wird wieder gesund.

Einen Taubstummen bringen sie zu ihm, dem tiefe Depression die Ohren und den Mund verschlossen hat. Er spricht mit ihm und der hört, versteht, antwortet und beginnt auf einmal wieder zu reden. ...

Immer wieder wird von ihm erzählt, wie unter seinen Worten und unter seinen Händen die Seelen der Menschen aufblühen, die der Kranken und Verzweifelten, der Besessenen und der Ausgestoßenen, auch die Seelen derer, über die sonst die anderen einfach hinweggehen, die Seelen der Frauen und Kinder, selbst die Seelen von Menschen, die ganz auf die schiefe Ebene geraten sind. Geängstete Seelen kommen zur Ruhe, verhärtete Seelen öffnen sich. Er selbst muss ein Mensch gewesen sein, der mit seiner ganzen Seele den anderen zugewandt ist, sie verströmt, der sie nicht verleugnet, der zuhören kann und auch das wahrnimmt, was eine bedrängte Seele ohne Worte sagt. Nichts Übermenschliches, sondern seine Menschlichkeit ist es, die diese Wunder wirkt.

Er bringt etwas zurück, was den Mühseligen und Beladenen, aber auch den trostlos Reichen abhanden gekommen ist. Mit ihm kommt etwas in ihr Leben, das sie so nicht mehr kennen: Er bringt ihnen wahrhaftig ihre Seele zurück.

Er versteht sich auf den Umgang mit der Seele; er weiß, wenn die Seele verstört ist, fruchten Ermahnungen nichts mehr; keine Forderung, kein Befehl bringt sie zum Reden, wo sie verstummt ist. Um die verschlossene Seele wieder zu öffnen, braucht es eine andere Sprache, das lässt sich an den Psalmen lernen. Er versteht sich offenbar auf diese Sprache wie nur wenige sonst. „Ihr seid doch Kinder eures Vaters im Him-

Odilon Redon, um 1885

mel", sagt er ihnen; „täglich lässt er seine Sonne aufgehen über euch und er lässt den Regen fallen für euch." Täglich beschenkt er euch und nicht kärglich: „Ein volles, reiches und geschütteltes, überfließendes Maß gibt er euch in den Schoß!" Davon könnt ihr abgeben und werdet immer noch nicht arm. „Euer Vater weiß doch, was ihr braucht", sagt er ihnen; selbst für die Vögel sorgt er jeden Tag, „wie viel mehr dann für euch!" Und: „Wenn das Kind Brot braucht, bekommt es vom Vater doch nicht einen Stein; wenn es einen Fisch will, gibt ihm der Vater doch keinen Skorpion!" Offenbar sind das in seinem Munde keine Behauptungen und Forderungen, sondern er spricht einfach aus der Erfahrung, von der er täglich lebt und gibt denen, die ihm begegnen, daran Anteil: Von allen Seiten umgibst du mich und hältst deine Hand über mir! „Niemand von euch geht verloren, glaubt mir: Nicht einmal ein Vogel ist vor Gott vergessen, so geht auch nicht ein einziges Haar von eurem Kopf verloren!"

Doch von Johannes aus dem Gefängnis kommen Boten, wohl Jünger von ihm, mit einer bitteren Frage: Was ist das, was du da tust? Soll das schon das Reich Gottes sein? War es das, worauf wir gehofft haben? Und er gibt ihnen die Antwort mit: Geht und sagt dem Johannes, was ihr hier hört und seht:

Blinden gehen die Augen auf,
Lahme können wieder gehen,
Aussätzige werden rein,
Taubstumme fangen an zu hören
und zu reden,
Tote stehen wieder auf,
Arme hören von Rettung,
und glücklich ist,
wer sich daran nicht stößt!

Tote stehen wieder auf: Da sitzt in Kapernaum der Zöllner Levi; inzwischen kennt er Jesus und er schämt sich ihn immer wieder zu fragen, ob er Handelsware bei sich hat oder sonst irgendwelchen Besitz. Er hat genug von ihm gehört und vieles arbeitet in seinem Kopf. Und als dann eines Tages Jesus zu ihm sagt: Du darfst hier nicht länger sitzen bleiben, steh auf und komm mit mir! da lässt er alles stehen und liegen und geht mit ihm.

Dass der Zöllner mitgeht, bleibt nicht ohne Folgen. Auf einmal sind die Armen nicht mehr unter sich, der Zöllner ist ein Mann, der Geld hat; es ist schmutziges Geld, das beschwert ihn, aber jetzt will er etwas Gutes tun mit seinem Geld: Er lädt all seine Freunde und Kollegen ein, dazu Jesus und dessen Freunde; für ihn fängt ein neues Leben an, nicht mehr im Bannkreis von Betrug, Hass und Verachtung. Er hat gefunden, was er lange suchte: Wahrhaftig Grund genug, ein Fest zu feiern! Ob Jesus ihn vor Augen hatte, als er später erzählte: Mit dem Reich Gottes ist es wie mit einem Kaufmann, der Perlen suchte und als er endlich eine gefunden hatte, die kostbarer war als alle anderen, da verkaufte er alles, um diese eine zu bekommen!

Und so kommen sie nun alle zusammen zu einem festlichen, reich gedeckten Tisch, eine merkwürdige Gesellschaft: Der Zöllner und sein Anhang – Geldleute meist, Günstlinge der Römer – und Jesus mit seinen Freunden – Fischern, Tagelöhnern, Gelegenheitsarbeitern, die es nie für möglich gehalten hätten, mit einem Zöllner an einem Tisch zu sitzen. Bei den Aufständischen wären sie eher zu Hause gewesen als im Kreise der Zöllner! Es war wohl dieser Zöllner, der in ihr Zusammensein noch etwas ganz Neues einbrachte: dass sie begannen das Reich Gottes gemeinsam zu feiern wie ein großes Fest.

Ingo Baldermann

In Gottes Namen wollen wir finden

Text: Friedrich Karl Barth, Peter Horst 1,2; Gottfried Mohr 3;
Melodie: Peter Janssens, © Peter Janssens Musik Verlag, Telgte

1. In Gottes Namen wolln wir finden, was verloren ist,
in Gottes Namen wolln wir suchen, was verirrt ist,
in Gottes Namen wolln wir heilen, was verletzt ist,
in Gottes Namen wolln wir stärken, was geschwächt ist,
in Gottes Namen wolln wir hüten, was lebendig ist,
wie einen Augapfel, wie mein Kind, wie eine Quelle.
In Gottes Namen, Amen.

2. In Gottes Namen wolln wir trösten, was verzweifelt ist.
In Gottes Namen wolln wir hören, was verstummt ist.
In Gottes Namen wolln wir schützen, was bedroht ist.
In Gottes Namen wolln wir retten, was zerstört ist.
In Gottes Namen wolln wir hüten, was lebendig ist.
wie einen Augapfel, wie mein Kind, wie eine Quelle.
In Gottes Namen, Amen.

3. In Gottes Namen wolln wir träumen, was undenkbar ist.
In Gottes Namen wolln wir sehen, was verkannt ist.
In Gottes Namen wolln wir sagen, was ganz neu ist.
In Gottes Namen wolln wir fragen, was das Glück ist.
In Gottes Namen wolln wir hüten, was lebendig ist.
wie einen Augapfel, wie mein Kind, wie eine Quelle.
In Gottes Namen, Amen.

Paul Klee, 1922

Das wiedergefundene Licht

Jacques war durch einen Schulunfall blind geworden. Diese Begebenheit wird auf S. 58 - Kapitel ‚Gewissen' - geschildert.

Mit acht Jahren begünstigte alles meine Rückkehr in die Welt. Man ließ mich herumtollen. Man antwortete auf alle Fragen, die ich stellte. Man interessierte sich für alle meine Entdeckungen, selbst für die sonderbarsten. Wie sollte ich zum Beispiel erklären, wie die Gegenstände sich mir näherten, wenn ich auf sie zuging? Atmete ich sie ein, hörte ich sie? Vielleicht. Was es auch war – es nachzuweisen war oft schwer. Sah ich sie? Augenscheinlich nicht. Und doch! Sie veränderten sich für mich im selben Maße, wie ich näher kam, oft sogar so sehr, dass sich – genau wie beim Sehvorgang – echte Konturen abzeichneten, dass sich im Raum eine wirkliche Form abhob und einzelne Farben sich erkennen ließen.

Ich ging auf einer mit Bäumen gesäumten Landstraße und ich konnte auf jeden der Bäume entlang der Straße zeigen, selbst wenn diese nicht in regelmäßigen Abständen gepflanzt waren. Ich wusste, ob die Bäume gerade und hoch waren, ob sie ihre Äste trugen wie ein Körper seinen Kopf oder ob sie, zu Dickicht verfilzt, den Boden rings umher bedeckten. Diese Tätigkeit pflegte mich freilich sehr schnell zu erschöpfen; doch sie erreichte ihren Zweck. Und die Ermüdung kam nicht von den Bäumen – ihrer Zahl oder ihrer Form –, sondern aus mir selbst. Um sie auf diese Art wahrzunehmen, musste ich mich in einem Zustand halten, der von all meinen Gewohnheiten so sehr abwich, dass es mir nicht gelang, längere Zeit in ihm zu verharren. Ich musste die Bäume selbst ganz an mich herankommen lassen. Ich durfte nicht die geringste Absicht, auf sie zuzugehen, den geringsten Wunsch, sie kennen zu lernen, zwischen sie und mich stellen. Ich durfte nicht neugierig sein, nicht ungeduldig, vor allem nicht stolz auf meine Fähigkeit.

Dieser Zustand ist indes nichts anderes, als was man gewöhnlich ‚Aufmerksamkeit' nennt; doch kann ich bezeugen, dass eine Aufmerksamkeit, die bis zu einem solchen Grade getrieben wird, nicht leicht fällt. Das Experiment mit den Bäumen am Rande der Straße konnte ich mit jedem beliebigen Gegenstand wiederholen, der eine gewisse – mindestens meine – Höhe hatte: mit den Telegraphenstangen, Hecken, Brückenbogen, den Häuserwänden entlang der Straße, ihren Türen, Fenstern, Vertiefungen und Schutthaufen.

Was die Gegenstände mir mitteilten, war, wie bei der Berührung, ein Druck, doch ein so neuartiger Druck, dass ich zunächst nicht daran dachte, ihn so zu benennen. Wenn ich mich ganz in die Aufmerksamkeit vertiefte und meiner Umgebung keinen eigenen Druck mehr entgegensetzte, dann legten sich Bäume und Felsen auf mich und drückten mir ihre Form ein, wie es Finger tun, die ihren Abdruck in Wachs hinterlassen.

Diese Neigung der Gegenstände, aus ihren natürlichen Grenzen herauszutreten, verursachte Eindrücke, die ebenso deutlich waren wie Sehen oder Hören. Ich brauchte allerdings mehrere Jahre, um mich an sie zu gewöhnen, sie ein wenig zu zähmen. Noch heute bediene ich mich – wie alle Blinden, ob sie es wissen oder nicht – eben dieser Eindrücke, wenn ich mich in einem Haus oder im Freien allein bewege. Später las ich, dass man diesen Sinn den ‚Sinn für Hindernisse' nenne und dass gewisse Tierarten, Fledermäuse zum Beispiel, anscheinend bis zu einem sehr hohen Grad damit ausgestattet seien.

Artur Luz de Bré, 1986

Zahlreiche Überlieferungen über okkulte Erscheinungen berichten sogar, dass der Mensch über ein drittes Auge verfügt, ein inneres Auge – im Allgemeinen ‚Auge des Shiva' genannt – das sich auf der Mitte seiner Stirn befindet und das er unter gewissen Umständen und durch gewisse Übungen wecken kann. Schließlich haben Untersuchungen des französischen Schriftstellers und Akademiemitglieds Jules Romain gezeigt, dass es auch eine außerhalb der Netzhaut liegende visuelle Aufnahmefähigkeit gibt, die ihren Sitz in gewissen Nervenzentren der Haut hat, vornehmlich in den Händen, der Stirn, im Nacken und auf der Brust. Ich hörte vor kurzem, dass dieselben Untersuchungen mit dem größten Erfolg nunmehr auch von Physiologen durchgeführt worden seien, namentlich in der UdSSR.
Indes, was immer die Natur des Phänomens sein mag: Ich bin ihm von Kindheit an begegnet und seine Bedingungen erscheinen mir wichtiger als seine Ursache. Die Bedingung dafür, die Bäume am Rand der Straße bestimmen zu können, ohne zu irren, war, die Bäume zu akzeptieren, mich nicht an ihre Stelle zu setzen.

Wir sind alle – blind oder nicht – entsetzlich gierig. Wir wollen alles nur für uns. Selbst wenn wir gar nicht daran denken, wünschen wir, dass das Universum uns ähnlich sei und uns seinen Raum überlasse. Nun, ein kleines blindes Kind lernt sehr rasch, dass dies nicht möglich ist. Es hat es zu lernen, denn jedes Mal, wenn es vergisst, dass es nicht ganz allein ist auf der Welt, stößt es gegen etwas, tut sich weh und wird zur Ordnung gerufen. Doch jedes Mal, wenn es daran denkt, wird es belohnt: Alles kommt ihm entgegen.

Einige Jahre später schloss sich Jaques der französischen Widerstandsbewegung (Résistance) an. Er kämpfte gegen den Nationalsozialismus und die deutsche Armee, die damals Frankreich besetzt hatte.

Seitdem wir an der Résistance teilnahmen, waren unsere geistigen Fähigkeiten gewachsen. Alle Arten von dunklen Problemen hatten sich erhellt. Unser aller Gedächtnis hatte sich unerhört geübt. Wir lasen zwischen den Worten und in den Pausen. Unternehmen, die uns zwei Monate vorher unausführbar schienen, die wie Mauern oder Gespenster vor uns standen, lösten sich in staubartigkleine, leichte Aktionen auf.

Georges hatte recht, wenn er diesen Zustand ‚den Gnadenzustand' nannte. Ich spürte meinerseits, dass mein Bewusstsein mit dem Bewusstsein von Hunderten anderer in Verbindung getreten war und mit deren Leiden und Hoffnungen wuchs.

Diese Eingebungen waren alltäglich; ich ertappte mich dabei, dass ich Sachen wusste, die man mir nicht gesagt hatte, dass ich, wenn ich morgens aufwachte, eine dringende und für mich völlig neue Absicht verspürte, die, wie ich drei Stunden später entdeckte, zwei oder sogar zehn andere Kameraden auch hatten. Der Geist der Résistance war geboren. Er bediente sich meiner. Doch wer hätte sagen können, was das ist, der Geist der Résistance? Bei uns, den ‚Volontaires de la Liberté', den freiwilligen Kämpfern im Dienst der Freiheit, hatte er zwanzig Gesichter.

Jacques Lusseyran

Arnold Schönberg, 1910

Zwei okkulte Erlebnisse im Umkreis des Todes

Das erste Erlebnis hatte ich in der Weihnachtsnacht des Jahres 1939. Ich erwachte etwa um 3 Uhr an wiederholt auftretenden Geräuschen. Trotz Anzündens meiner Lampe hörte das Klopfen in den Möbeln nicht auf. Nach vergeblichem Warten, Auslöschen und Wiederanzünden versuchte ich durch aktive Imagination der Erscheinung auf die Spur zu kommen. In der Konzentration auf das Geschehnis begann ich mich zu erinnern, dass im unteren Stock kürzlich eine Frau an Grippe erkrankt war. Ich versuchte, mich in der Phantasie in ihr Schlafzimmer zu versetzen, obgleich ich es noch nie betreten hatte. Ich sah das Krankenbett, an dessen oberem Ende eine brennende Kerze befestigt war. Halb bewusst, halb unbewusst, nahm ich, von einem inneren Drange geleitet, das ‚Tibetanische Totenbuch' in die Hand und las laut und eindringlich die am Anfang angeführte Stelle, in der sich ein Guru mit folgenden Worten an einen Verstorbenen wendet: „O Edelgeborener, das, was man Tod nennt, ist jetzt gekommen. Du scheidest von dieser Welt, aber du bist nicht der Einzige: Der Tod kommt zu allen. Klammere dich nicht aus Liebe oder Schwäche an dieses Leben ..." Dann las ich den ganzen folgenden Abschnitt laut vor. Das Resultat war erstaunlich. Das Geräusch verstummte urplötzlich.

Am folgenden Morgen erfuhr ich, dass die Frau, ziemlich unerwartet, etwa zwei Stunden nach dem Spukphänomen entschlafen war. Das Erlebnis war stark und nachhaltig für mich. Ich hatte den Eindruck, dass der Spuk in meinem Zimmer mit dem Todeskampf zusammenfiel, den die Sterbende, die um meinen psychologischen Beruf wusste, ausfocht und in dem sie sich wohl Hilfe suchend an mich gewandt hatte. Es war das erste Mal, dass ich mit der geheimen Welt des Sterbens in so erschütternde Berührung gekommen war.

Ein weiteres tief schürfendes Erlebnis hatte ich etwa 16 Jahre später, und zwar kurz vor dem Tode meines Vaters. In drastischer Weise wurde mir das Nahen seines Todes angekündigt. Im gleichen Moment, da meine Mutter mir telephonisch mitteilte, dass mein Vater einen Schlaganfall erlitten habe, brachen in meiner Wohnung zwei Büchergestelle zusammen, wobei sämtliche Bücher auf den Boden fielen. Nachdem der erste Schock vorbei war, besann ich mich auf das sonderbare Geschehen. Ich konnte nicht anders, als in ihm die Botschaft von der beginnenden Befreiung der Seele meines Vaters vom Körper zu sehen.

Liliane Frey-Rohn

Daniel sieht und versteht, was eine unsichtbare Hand schrieb

Im Palast des Königs wird ein Fest gefeiert. Belsazer hat dazu seine Freunde eingeladen. Tausend sind es an der Zahl, Vögte, Höflinge, Hauptleute, Krieger und Götzenpriester. Im Scheine der Fackeln und Kerzen glänzen die bunten Stoffe, blitzen und funkeln die Edelsteine. Musikanten spielen auf. Tänzer und Tänzerinnen vertreiben den Gästen die Zeit. Diener tragen riesige Platten mit Braten, Fischen, Geflügel und Gemüse herbei. Andere füllen große Krüge mit Bier und mit altem Wein. Türme aus Obst und Schalen mit süßem Backwerk schmücken die Tische. Schon dringt das Grölen der Betrunkenen aus den Mauern des Palastes in die schwarze Nacht hinaus. Belsazer kann kaum mehr aufrecht in seinem Stuhle sitzen. Mit glasigem Blick starrt er auf seinen vollen Becher.

„Die Juden sollen mich kennen lernen. Ich werde in Zukunft mit ihrem Blute schreiben", lallt er.

„Hoch lebe Belsazer! Hoch! Hoch!", schreien die Männer.

Die Rufe stacheln den König zu immer neuen Lästerungen an.

„Sagt mir, wer ist eigentlich dieser unsichtbare Gott? Komm her, du Gott der Juden, lass dich sehen! Bist du aus Luft? Komm her und beweise mir deine Kraft!"

„Hoch lebe Belsazer! Hoch! Hoch! Unsere Götter sind die wahren Götter", antworten die Männer. Der König lacht auf.

„Sind nicht die Schatzkammern voll von Geräten aus Jerusalems Tempel? He, Schatzmeister, bring sie her, die Leuchter, die goldenen Becher und Schalen! Wir wollen daraus saufen!"

Der alte Schatzmeister erblasst. Sind es nicht heilige Geräte? Hat nicht Nebukadnezar sie gelehrt, diesen Gott zu verehren?

„Was zögerst du?", schreit ihn Belsazer an. „Her mit den Schätzen aus Juda!"

Auf einem von zwei Dienern getragenen Tablett werden die kunstvoll gearbeiteten Geräte hereingetragen.

„Hier auf den Tisch!", befiehlt Belsazer. Eigenhändig füllt er die Becher und Schalen mit Wein.

Was tut's, dass die Hälfte danebenfließt. Als Erster hebt er seinen goldenen Becher empor. „Hoch lebe der unsichtbare Gott unserer Sklaven", höhnt er. „Kommt, wir wollen alle auf ihn …" Mitten im Satz bricht er ab.

Sein Gesicht entstellt sich. Seine Augen starren an die Wand. Entsetzt folgen die Gäste seinem Blick. Groß und langsam schreibt eine unsichtbare Hand Buchstaben auf die weiße Fläche. Aus den Buchstaben entstehen Worte. Wer kann sie lesen? Es ist eine fremde Sprache. Der König bricht auf seinem Sessel zusammen. Er zittert.

„Was ist das?", flüstert er in die unheimliche Stille hinein.

Ist es der Rausch? Ist es nur Spuk, eine Täuschung? Nein, klar und deutlich stehen nun die Worte an der Wand.

MENE MENE TEKEL UPHARSIN
מְנֵא מְנֵא תְּקֵל וּפַרְסִין

„Holt die Weisen und Schriftgelehrten!", befiehlt der König, „sie sollen mir die Schrift entziffern und deuten."

Die Stimme versagt ihm.

„Weckt sie aus dem Schlaf! Beeilt euch!", flüstert er schwach.

Ratlos betrachten die Weisen und Schriftgelehrten die Worte an der Wand.

„Wer diese Schrift liest und mir sagt, was sie bedeutet, der soll mit Purpur gekleidet werden. Ich will ihm eine goldene Kette schenken und ihn zum Fürsten machen", verspricht der König. Doch keiner der Weisen vermag das Rätsel zu lösen. In ihren Augen begegnet der König seiner eigenen Angst. Er jagt sie fort. Verzweifelt blickt er um sich.

Michail Wrubel, 1906

170

Die Kerzen flackern. An der Wand bewegen sich riesige Schatten. Auf den Tellern und Platten sind die Speisen kalt geworden. Niemand füllt die halb leeren Becher nach. Von Furcht und Schrecken gepackt, haben sich die meisten Gäste davongemacht.

„Daniel!"
Es ist die Königin, die sich plötzlich seiner erinnert. „Mein König", sagt sie, „erschrick nicht so! Ich kenne einen Mann in deinem Reich, der dir helfen kann. Er hat deinem Vater Träume gedeutet und ihm dunkle Sprüche offenbart. Nebukadnezar hat ihn zum Obersten über die Weisen und Sternseher und Gelehrten gemacht. Daniel! Ihn musst du rufen!"
Der König schweigt lange.
„Daniel!"
Er hat ihn seit dem Tode Nebukadnezars nie mehr gesehen.
„Gut", sagt er, „bringt ihn her zu mir!"

Mitternacht ist längst vorbei. Ruhig geht Daniel neben dem Boten des Königs zum Schloss hinüber. Er ist frei von Angst.
„Mein Gott", bittet er, „gib mir, dass ich Deinem Feind mit den rechten Worten begegne!"
Stumm wird er vom König empfangen. Nur wenige Getreue sind noch bei ihm. Von Daniels Gesicht geht ein Leuchten aus, das den König verwirrt.
„Daniel, den mein Vater aus Juda hergebracht hat, lies und deute mir diese Schrift an der Wand! Ich will dich dafür in Purpur kleiden. Ich will dir eine goldene Kette schenken und dich zum Fürsten machen."

Daniel sieht die Schrift. Er sieht die Überreste des königlichen Gelages und auf dem Tisch die Geräte aus dem Tempel Gottes. Ihr Anblick erfüllt ihn mit Trauer.
„Belsazer", sagt er, „behalte deine Geschenke für dich oder gib sie einem andern! Ich begehre weder Macht noch Reichtum. Dein Vater war ein stolzer und mächtiger König und ist demütig geworden vor Gott. Du aber, Belsazer, der du das alles weißt, hast die goldenen, silbernen, steinernen und hölzernen Götter angebetet; du hast aus den heiligen Gefäßen getrunken und den lebendigen Gott, der allem das Leben gibt, verhöhnt und verspottet. Ich will dir nun die Schrift lesen und deuten. Gott hat sie an die Wand geschrieben.

MENE MENE TEKEL UPHARSIN
מְנֵא מְנֵא תְּקֵל וּפַרְסִין

Das heißt: Gezählt, gezählt, gewogen, verteilt. Die Tage deines Königreichs sind gezählt. Gott hat dich gewogen und zu leicht befunden. Dein Königreich wird von den Medern und Persern erobert und geteilt werden."

Kaum hat Daniel zu Ende gesprochen, ist die Wand weiß wie vorher.
Hat der König in seiner Betrunkenheit die furchtbare Weissagung begriffen? Müsste er jetzt nicht niederfallen und Gott um Verzeihung bitten?
„Ich will mein Versprechen halten", sagt er. „Bringt ein purpurnes Festgewand und eine goldene Kette! Und morgen will ich dich zum Fürsten ausrufen lassen."
Bevor die Diener mit Kleid und Kette zurückkommen, ist Daniel verschwunden.

Babylon erwacht.
Die Wächter öffnen den Bauern und Händlern die Stadttore. ... Auf den Türmen und Zinnen der königlichen Burg liegen die ersten Strahlen der aufgehenden Sonne. Die Soldaten vor dem Eingang reiben sich verschlafen die Augen. ...

Doch plötzlich wird das Tor von innen aufgerissen. Ein Reiter jagt hinaus. Es ist der Hauptmann. Schwer bewaffnete Krieger folgen ihm.
Was ist geschehen?
„Belsazer ist tot! Ermordet wurde er in seinem Schlafgemach aufgefunden!"

Max Bollinger

LIEBER GOTT, WENN ES DICH GIBT ...

Franz von Defregger, 1875

DAS TISCHGEBET

Ich war schrecklich aufgeregt. Zum ersten Mal kam Kathrin zu Besuch. „Wann kommt sie denn endlich?", wollte Anne, meine ältere Schwester, wissen. „Sie wird dich doch nicht vergessen haben", spottete sie; aber ich hatte keine Lust mich mit ihr zu streiten. Ich war sicher, dass sie kommen würde. Kathrin ging in meine Parallelklasse. Sie war neu in der Schule. Im Bus hatte ich sie zum ersten Mal gesehen. Sie gefiel mir und in jeder Pause suchten meine Augen nach ihr. Irgendwann habe ich mich im Bus einfach neben sie gesetzt und heute habe ich sie gefragt, ob sie mich besuchen kommt.

Endlich klingelte es. Steffi, meine kleine Schwester, raste zur Tür. „Bist du Jochens Freundin?", posaunte sie Kathrin entgegen. „Ach, geh weg", wies ich Steffi zurecht, „red' nicht so einen Blödsinn. Komm rein, Kathrin."

Nach einer Begrüßungsrunde setzten wir uns an den gedeckten Kaffeetisch. Viel lieber wäre ich mit Kathrin rausgegangen und hätte ihr die Gegend gezeigt, wo wir wohnten. Aber meine Mutter bestand darauf, dass wir erst einmal zusammen Kaffee trinken. „Ich möchte Kathrin auch gerne kennen lernen", sagte sie.

Es gab Kakao und Kuchen. Meine Schwestern hörten endlich auf rumzutuscheln. Wir wünschten uns Guten Appetit und Steffi wollte sich über den Kuchen hermachen. Auch ich griff zu meiner Gabel, bemerkte aber, dass Kathrin wartete.

„Wir haben doch noch gar nicht gebetet", wandte sie ein.

Ich war verlegen, legte meine Gabel wieder neben den Teller und suchte Hilfe suchend den Blick meiner Mutter: „Wir beten nicht vor dem Essen, Kathrin", sagte meine Mutter, „aber wenn du dir ein Gebet wünschst ..." Dabei schaute sie zuerst Kathrin, dann mich an.

Mir wurde schwindelig. Wenn ich jetzt beten sollte ... Ich malte mir die Blamage schon aus. Wie ich, die Hände krampfhaft gefaltet, nach den Worten des Tischgebetes suchte, das ich bei meinem Freund Kevin manchmal gehört hatte. „Lieber Gott, äh ... äh. Amen!", hörte ich mich im Geiste vor mich hinstammeln. Ich spürte, wie ich rot im Gesicht wurde. Ich wagte es in diesem Moment nicht, Kathrin anzuschauen. Meine Geschwister grinsten. Meine Mutter versuchte die Situation zu retten, indem sie sagte: „Beim Essen wünschen wir uns immer Guten Appetit, sonst nichts."

„Und abends? Betet ihr abends?", fragte Kathrin. „Ich kann nicht einschlafen, wenn ich nicht vorher gebetet habe."

„Abends", sagte Steffi, „abends beten wir eigentlich auch nicht. Jedenfalls nicht so richtig, glaube ich. Wir denken oft noch mal über den vergangenen Tag nach. Was da gut war und was blöd und was wir uns wünschen und was besser werden soll und solche Sachen. Das mach' ich eigentlich ziemlich oft und ich mach' das gern, weil ..."

„Macht ihr das alle in der Familie so?", wollte Kathrin wissen.

„Nein," mischte ich mich ein, nachdem ich mich wieder gefangen hatten, „es ist nicht so, dass alle im Kreis herumsitzen und über den Tag nachdenken. Das macht jeder für sich. Und ich zum Beispiel bin abends meistens so k. o., dass ich sowieso dazu keine Lust mehr habe. Unsere Eltern haben das früher oft mit uns vor dem Einschlafen gemacht. Manchmal haben wir noch ein Lied gesungen. Bei dir machen Mama oder Papa das doch heute noch so, oder?", fragte ich Anne. Meine kleine Schwester sah Kathrin an und nickte. „Aber Beten tun wir abends eigentlich nicht."

„Bete du doch, Kathrin!", prustete meine kleine Schwester heraus; sie rutschte auf ihrem Stuhl hin und her.

Ich sah, wie Kathrin ein wenig rot im Gesicht wurde. Ihr war es sichtlich unangenehm so plötzlich im Mittelpunkt einer ihr noch fremden Familie zu stehen. Doch dann sagte sie: „Na gut", faltete die Hände und sprach ein kurzes Tischgebet. Für eine Weile wurde es ganz ruhig.

„Das ist schön!", rief Anne. „Sehr schön, das gefällt mir. Aber jetzt können wir doch endlich essen, oder?"

Das taten wir dann auch und es wurde ein sehr lustiger Nachmittag. Kathrin kommt seitdem oft zu uns zu Besuch. Das Tischgebet gehört dann mit dazu. Aber an normalen Tagen wünschen wir uns weiter nur Guten Appetit. Nur manchmal wünscht sich Anne, dass wir vorher beten. Das macht sie dann, denn sie kennt Kathrins Tischgebete inzwischen alle auswendig.

Berthold Brohm

JESUS IN GETHSEMANE

Otto Dix, 1946

Dann aber ging er, wie jeden Tag,
zum Ölberg hinaus,
die Schüler folgten ihm nach
und als sie dort waren,
sagte er zu ihnen:
„Bittet darum,
dass euch die Versuchung
nicht überfällt."

Und dann verließ er sie,
nur einen Steinwurf weit,
beugte die Knie und betete:
„Wenn es dein Wille ist, Vater,
dann trage diesen Becher an mir vorüber.
Doch es geschehe was du willst,
nicht ich."
Und als er das sagte,
erschien ihm ein Engel am Himmel
und gab ihm Kraft.

Aber er verlor nicht die Angst,
und als er betete,
immer flehentlicher,
hat er geweint,
und blutiger Schweiß
rann ihm in Tropfen groß
zu Boden,
und er war dem Tode nah.

Doch als er aufstand,
sehr langsam
– sein Gebet war zu Ende –
und zu den Schülern ging,
fand er sie vor Traurigkeit schlafend
und sagte zu ihnen:
„Steht auf und seht zu,
dass ihr nicht
der Versuchung erliegt."

nach Lukas 22, 39-46

Tanjas Gebetsbuch

Müde blinzelt Tanja auf dem Rücksitz. Ein Sonnenstrahl hat sie aus ihrem Dämmerzustand geweckt. Langsam sortiert sie ihre Gedanken. „Stimmt, es sind Ferien und wir fahren nach Südfrankreich." Aber noch sind die Traumfetzen aus ihrem Kopf nicht verschwunden. Anika, ihre beste Freundin, hatte ihr Geheimnis vor der Klasse ausgeplaudert und sie dann noch öffentlich bloßgestellt. „Alles nur wegen Frank, dem Neuen", hört Tanja sich leise murmeln. „Vielleicht hätte ich doch nochmal mit Anika reden sollen", fährt es ihr durch den Kopf. Aber dann denkt sie trotzig: „Niemals mehr mit der!", und im nächsten Moment spürt sie den Wunsch: „Wenn sie sich doch bei mir entschuldigen würde!"
Weil Tanja schon mal bei den düsteren Gedanken ist, fällt ihr die schwere Erkrankung ihrer Oma ein, der überraschende Besuch im Krankenhaus, die dunklen Andeutungen der Eltern. Würde sie niemals mehr zur Oma fahren können? Würde die Oma sterben? Hatte Tante Susi nicht am Telefon erzählt, dass es Oma wieder ein bisschen besser gehe? Aber Tanjas Angst bleibt.

Versunken in ihre Gedanken bekommt Tanja mit, dass der Wagen ausrollt. Tanja merkt auf einmal, dass sie Durst hat und gern an einer Raststätte etwas trinken würde. „Aber das ist doch gar keine Raststätte!", ruft Tanja nach vorne, als sie das Gebäude vor sich sieht, an dem sie halten. „Nein, du Schlafratz", antwortet Mutter, „wir sind an der Autobahnkirche." „Oh", entfährt es Tanja, „ich dachte, ich krieg' jetzt was zu trinken." „Dazu brauchen wir keine Raststätte", sagt Vater und reicht ihr eine Wasserflasche nach hinten.

Noch etwas benommen betreten die drei die Autobahnkirche. Ihre Eltern lassen sich still nebeneinander in einer Bank nieder. Nach dem vielen Sitzen im Auto mag Tanja lieber langsam durch den Kirchenraum gehen und sich alles anschauen. Zu ihrer Überraschung stößt sie auf ein aufgeschlagenes Buch. Vorsichtig beginnt sie zu lesen: „Lass uns gesund in den Urlaub kommen und wieder zurück. Klaus, Sylvia und Kinder" steht dort. Und: „Lieber Gott! Vergib mir, was ich falsch gemacht habe!" Den Namen darunter kann Tanja nicht lesen. Dann steht da noch was in einer fremden Sprache, „Bosnia" kann Tanja entziffern. „Geht es da um das vom Bürgerkrieg zerstörte Land?" Plötzlich fällt Tanja das kleine Schild neben dem Buch auf. „Ihre Gebetsanliegen werden jeden Sonntag im Gottesdienst verlesen und von der Gemeinde in ihre Fürbitte aufgenommen." Tanja stellt sich das vor. Eine Kirche mit Kerzen und einer singenden Gemeinde und dann die Bitten, um die gesunde Rückkehr von Klaus und Sylvia, um die Vergebung der Schuld und um den Frieden in Bosnien. Wie die fremde Gemeinde diese Gebetsanliegen mithört, in ihr Gebet einschließt, vielleicht durch ein „Herr, erhöre uns!" oder auch bloß durch das einfache Amen.
Als Tanja den Stift neben dem Buch liegen sieht, hält sie einen Moment inne. Dann nimmt sie ihn in die Hand und beginnt langsam zu schreiben. „Lieber Gott! Mach doch bitte, dass es wieder gut wird zwischen mir und Anika und lass meine Oma wieder gesund werden!" Sie fügt noch hinzu: „Bitte, schenk uns einen schönen Urlaub! Deine Tanja. Amen." Ob der Schluss so passend ist, überlegt sie und lächelt, weil sie meint, dass Gott sie schon verstehen wird und die Gemeinde, die das Gebetsanliegen vortragen wird, hoffentlich auch.

Als sie zu ihren Eltern geht, die schon an der Tür warten, fühlt sie sich sehr erleichtert. „Jetzt hab' ich aber Hunger!", ist ihr erster Satz. „Mir geht es genauso", meint Vater. „Jetzt suchen wir uns einen schönen Platz zum Frühstücken!" Fröhlich schlendern die drei zum Auto.

Erhört Gott Gebete?

Mimi Rumpp unterbrach vor Jahren ihr Beten für einen Gewinn in der Lotterie. Mit Mann, zwei Kindern und einem Full-time-Job hatte sie keine Zeit für belanglose Beschäftigungen. Als aber ein Arzt im letzten Jahr ihrer Schwester Miki sagte, sie benötigte eine Nierentransplantation, begann die Familie um einen Spender zu beten. Mimi dachte: Das sei ein Gewinn, für den es sich zu beten lohne. Weniger als ein Jahr später hatte Miki eine neue Niere. Sie verdankte das einer Kassiererin einer Bank in Napa, Kalifornien. Sie hatte der Kassiererin ihre Geschichte erzählt – und die entschloss sich zur Organspende. Gerührt von Mikis Notlage, ließ sie sich untersuchen – mit dem Ergebnis die passende Niere zu haben.

Zufall? Glück? Göttliches Einwirken? Mimi Rumpp ist sicher: „Es war ein Wunder."

Es ist fast zwanzig Jahre her. Trotzdem zittert die Frau immer noch, wenn sie die Szene schildert. Sie ist jetzt Journalistin in Los Angeles. Es war spätabends in einer schwarzen geräuschlosen Nacht im Hinterland von New York. Sie hatte sich entschlossen eine Abkürzung nach Hause zu nehmen, einen Abhang hinauf, auf ungebahntem Pfad. Plötzlich hörte sie Schritte hinter sich, schneller als ihre eigenen. Einen Augenblick später war ein Mann über ihr und zog ihren neuen gestreiften Schal um ihren Nacken, dann zerriss er ihre Unterhose. Zu Hause erwachte ihre Mutter aus einem tiefen Schlaf. Sie war von einer Furcht ergriffen, dass sich gerade etwas Schreckliches mit ihrer ältesten Tochter ereignen müsse. Die Mutter kniete unvermittelt neben ihrem Bett nieder und betete. Fünfzehn Minuten lang bettelte sie Gott, ihre Tochter von der namenlosen, aber wie sie fühlte, realen Gefahr, mit der ihre Tochter konfrontiert war, zu schützen. Sie war überzeugt, dass sie Gottes Aufmerksamkeit gewonnen hatte – und seinen Schutz. Die Mutter ging zurück ins Bett und fiel in tiefen Schlaf.

Zurück zum steinigen Pfad: Der potenzielle Vergewaltiger hatte plötzlich seinen Angriff abgebrochen. Er richtete seinen Kopf auf wie ein Tier. Die Frau rief „zurück" und floh den Hügel hinunter.

Zufälliges Zusammentreffen oder Glück oder göttliches Eingreifen? Werden Gebete beantwortet oder sind Gebete unerheblich? Die fromme Mutter und ihre Tochter, eine berufliche Skeptikerin, sie sind sicher in ihrem Glauben: Das war der Teufel auf dem Hügel und es war Gott, der ihn wegführte. So sind die Geheimnisse des Gebets. Für die, die mit Glauben gesegnet sind, gibt es sicher keinen Zweifel: Das sind beantwortete Gebete, schlicht und einfach. Und wenn er sie nicht erhört? Was dann?

Kenneth L. Woodward

WENN DAT BEDDE SICH LOHNE DÄÄT

Refrain: Wenn et Bedde sich lohne däät,
           Wat meinste wohl,
           wat ich dann bedde däät, bedde däät.

1.)   Ohne Prioritäte,
      einfach su wie'et köhm fing ich ahn,
      nit bei Adam un nit bei Unendlich,
      trotzdämm: jeder und jedes köhm draan,
             für all dat, wo der Wurm drin
             für all dat, wat mich immer schon quält
             für all dat, wat sich wohl niemohls ändert
             klar - un och für dat, wat mer jefällt.
      Vum Choral für die Dom-Duuv,
      die verkrüppelt veräng en der Sood
      bess zo Psalme für't Wedder
      un die Stunde met dir, die ze koot.
             Ich däät bedde, wat et Zeugh hällt,
             ich däät bedde op Deufel kumm russ,
             ich däät bedde für wat ich jraad Loss hätt,
             doch für nix, wo mer wer sätt: Do muss,
                                   Do muss!

Refrain:
2.)   Ne Ruusekranz dämm Poet,
      dä als Schoof en 'nem Wolfs'pelz rümmsteht,
      neyve Troubadour un Prophet,
      dänne 't Laache tagtäglich verjeht.
      Ich däät en Kääz opstelle für Elvis,
      däät e Huhamp bestelle für John,
      Prozessione die jinge für Janis,
      all die Helde, die wööte belohnt.
      Un e Vaterunser dämm Feldherr,
      dä drop waat, datte endlich verliert,
      dämm et huhkütt bei singe Triumpfzöch,
      dä Obeliske jendoch apportiert.
             Für die zwei Philosophe, die schänge,
             en 'nem Elfenbeinturm en Klausur,
             die sick Minschejedenke sich zänke,
             uss Erbarmen e Stoßjebet nur,
                   e Stoßjebet nur.

Refrain:
3.)   Ich däät bedde für Sand em Jetriebe,
      un jede Klofrau krät Riesen-Applaus,
      övverhaup, jeder Unmengen Liebe
      un dä Sysiphus nit nur en Paus.
      Däät die Rubel bremse, die rolle,
      Kroonjuwele verhanne nohm Schrott,
      Leet all Jrenze un Schranke verschwinde,
      jede Speer, jed Jewehr, jed' Schafott.
      V'leich beneid' ich och die gläuve künne
      doch - wat - soll't - ich jääch doch kei Phantom.
      Jott, höhr't Bedde bloß nit su sinnlos,
      denn öff, denk ich, mir wöhre bahl schon
      ahn dämm Punkt, wo't ejal weet, wä Rääsch hatt
      wo Beziehung un Kohle nit zählt.
             Mir sinn all zosamme om Kreuzwääsch
             etwa do, wo mer't dritte mohl fällt
                   et dritte mohl fällt.

Wolfgang Niedecken

177

Meine Freundin Ama

Ich war die erste Ausländerin, die in diesem Dorf lebte, und die Leute mussten sich an allerlei gewöhnen. Es war ungewöhnlich, dass ich als Frau allein wohnte. Überhaupt: eine Frau in meinem Alter – und nicht verheiratet? Trotzdem wurde ich von ihnen sehr schnell akzeptiert. Sie beobachteten mich genau und wunderten sich oft über meine eigenartigen Lebensgewohnheiten.

Meine Aufgabe war es in diesem und den umliegenden Dörfern einen Gesundheitsdienst einzurichten. Ich war viel unterwegs und besuchte alle Dörfer, die zu meinem Bezirk gehörten, ging in die Schulen, behandelte Kranke und impfte Gesunde. Ich musste oft vorsorglich Rechenschaft darüber abgeben, warum ich eine Schwangeren- und Mütterberatung einrichten wollte. Vieles von dem, was ich tat, war meinen Nachbarn fremd.

Meistens verließ ich das Haus morgens früh nach meinem Frühstück. Alles das, was wir uns als Deutsche für ein Frühstück wünschen, Brot und Butter und Marmelade, gab es bei uns nicht. Aber ich gewöhnte mich schnell an das andere Essen. Meine Essensgewohnheiten hatten sich bald im Dorf herumgesprochen. Die Wohnungen waren nicht so getrennt wie bei uns; alles geschieht mehr oder weniger in der Öffentlichkeit.

Eines Tages, als ich müde in meine Wohnung zurückkam, stand Ama in meiner Küche. Sie schaute mich sehr energisch an. „Du hast schon drei Tage keinen Reis gegessen! Davon wird man krank!", erklärte sie mir. Ich würde alle Kraft verlieren. Dann könne ich den Dorfleuten nicht mehr helfen. Damit sei keinem gedient. Von jetzt ab wolle sie jeden zweiten Tag in meiner Küche für mich kochen. Punktum! Basta! Für Widerspruch war da kein Platz.
Ich wehrte mich gegen die Einmischung in meine Privatangelegenheiten. Schließlich sei ich bisher ohne ihre Hilfe ausgekommen und alt genug sei ich ja wohl auch, um selbst zu wissen, was gut und richtig für mich sei. Aber Ama ließ nicht mit sich reden. Weil sie eine fromme Hindu-Frau war und es für Hindus wichtig ist, dass das Essen in der eigenen Küche gekocht wird, kam Ama nun jeden zweiten Tag und kochte für mich.
Ich gewöhnte mich an diese Hilfe und beruhigte mich damit, dass es Ama ja keinen einzigen Pfennig kostete, da sie ja in meiner Küche mit meinen Lebensmitteln kochte. Und Zeit hatte Ama offensichtlich genug.
Bald war Ama nicht nur eine regelmäßige Köchin, sondern auch meine engste Beraterin. Sie kannte Pflanzen und natürliche Heilmittel; sie hatte eine anerkannte Stellung im Dorf und durch den täglichen Umgang mit ihr lernte ich viel. Ama war nie zur Schule gegangen, aber sie war weise und hatte ein großes Wissen. Wir redeten auch oft über unseren Glauben; sie erzählte von ihren Göttern, ich erzählte vom Gott der Liebe und von Jesus Christus.
Als meine Zeit im Dorf um war und der Abschied kam, war es uns beiden sehr schwer ums Herz. Wir hatten uns lieb gewonnen. Nie würden wir uns schreiben können, denn Ama hätte ja meine Briefe nicht lesen und Antworten nicht schreiben können. Es war ein Abschied für immer und er fiel uns schwer. Ich versprach Ama, für sie zu beten, und Ama sagte, sie wolle ihre Götter um Gnade bitten für mich. Dann reiste ich ab.

Acht Jahre später kam ich wieder in ‚mein' Dorf. Ich hatte nicht geahnt, wie viele Freunde ich dort besaß. Es gab einen großartigen Empfang. Die Kinder von damals waren nun erwachsen, zum Teil verheiratet und selbst Eltern kleiner Kinder. Alle kamen, mich zu sehen und mich zu begrüßen. Fast sah es so aus, als zöge eine Königin in ihr Reich. Dabei war ich doch nur eine fremde Gastarbeiterin gewesen.
Das Wiedersehen mit Ama kann ich kaum beschreiben. Wir lagen uns in den Armen

und weinten vor Freude. Sie zog mich in ihr Haus und wie in alten Zeiten begann sie gleich für mich zu kochen. Die Töpfe klapperten lauter als sonst, als seien auch sie froh, dass ich wieder da war. Während Ama in der Küche hantierte, erzählten die Nachbarinnen mir all das, was inzwischen im Dorf geschehen war.

Eine Nachbarin sagte, Ama ginge täglich in den Tempel, um für mich zu beten. Ich lachte. „Na, große Schwester, übertreibst du nun nicht ein wenig? Acht Jahre lang, jeden Tag? Sicher hat sie das nur ab und zu getan."

Aber nein, Ama sei täglich im Tempel gewesen und habe täglich für mich gebetet.

Offensichtlich hatte Ama in der Küche unser Gespräch verfolgt. Sie kam zu uns. „Ja, kleine Tochter, das hatten wir uns doch gegenseitig versprochen. Hast du nicht jeden Tag für mich gebetet?"

Ganz beschämt saß ich da. „Ja, ja, wir hatten uns das versprochen …"

Partnerschaft – was ist das eigentlich? Wie können wir als Fremde in weit entfernten Orten Partner sein? Ist es nicht Partnerschaft, wenn Ama für mich kocht, während ich mich um die Kranken im Dorf kümmere? Oder wenn Ama, die Hindu-Frau, täglich für mich betet, weil sie weiß, was ich so oft vergesse: dass es ohne Gottes Hilfe nicht geht. Vielleicht beweist sich Partnerschaft auch im Voneinander-lernen. Von Ama habe ich sehr viel gelernt.

Dorothea Friederici

Andy Goldsworthy, 25. Oktober 1987

MITEINANDER LEBEN

Frida Kahlo, 1946

Einer dieser schlimmen Tage

Ich bin böse auf Hannes.
Ich bin böse auf Christine.
Ich bin böse, weil sie mit ihren Rädern
zum Baden gefahren sind.
Ich bin böse auf meinen Bruder, weil er mit Christine
einfach davongefahren ist.
Ich bin böse auf Christine.
Ich dachte, sie wäre meine Freundin.
Aber jetzt ist sie mit meinem Bruder fortgefahren.
Ich bin böse auf Hannes und Christine.
Ich bin so böse, dass ich meiner Mutter
keine Antwort gebe.
Nein, ich will nicht, dass sie jetzt Mitleid mit mir hat und
mich durch den Park schiebt.
Ich bin böse auf Hannes und Christine.
Ich bin böse auf meine Mutter.
Ich bin böse auf mich.

Nein, ich bin böse auf diesen verdammten Rollstuhl.
Nein, ich bin nicht böse auf mich.
Nein, ich bin auch nicht böse auf Hannes und Christine.
Wenn ich jetzt Mutters Arm zurückstoße,
wird sie vielleicht nicht noch einmal versuchen,
ihn um meine Schulter zu legen.

Ob Hannes jetzt seinen Arm um Christines
Schulter legt?

Es tut so gut, Mutters Wärme zu spüren.
Es tut so gut, Mutter zu riechen.

„Entschuldige Mutti, dass ich böse zu dir war!
Bitte weine nicht, Mutti!
Bitte sei mir nicht mehr böse!"
„Ich bin genauso traurig wie du …"

Mutter und ich werden Hannes und Christine
nichts davon erzählen.
Ich brauche den Rollstuhl so nötig,
aber ich hasse ihn so.

Rolf Krenzer

Helmut Hermann, 1988

Der Trick mit der Holzscheibe

Von Christiane Sautter

WEHR. Sonnenlicht flutet in das Atelier. Draußen, vor der großen, weit geöffneten Glastür, stimmt die christliche Band ‚Eckstein', die sich für ihren Auftritt am Abend vorbereitet, ihre Instrumente. Der Verstärker dröhnt. Helmut lässt sich nicht stören. Konzentriert arbeitet er an seinem Bild, fährt mit dem Pinsel die vorgegebenen Konturen nach. Manchmal dreht er sich nach seinem ‚Lehrmeister' um. „Gut so?", fragt er. Der nickt bestätigend. Helmut malt weiter.

Helmut Hermann ist einer der Preisträger der Kunstausstellung im Diakoniezentrum Öflingen. Gewonnen hat der Dreißigjährige, der im Diakoniezentrum lebt, ein Wochenende mit ‚seinem' Künstler. ‚Sein' Künstler ist Eberhard Eckerle, freischaffender Maler und Bildhauer aus Gaggenau. Seine strengen Zeichnungen und Skulpturen – Köpfe und Körper –, die in der Kunstausstellung gezeigt werden, haben Helmut angeregt selbst zu malen. Immer wieder hat er versucht, seine Bilder nach den Werken Eckerles zu gestalten. ‚Ich will Köpfe malen. Köpfe, das gefällt mir. Nicht nur buntes Zeug', sagt der Behinderte. Aber er kann die komplexen Formen, die die Natur vorgibt, nicht umsetzen. Eberhard Eckerle hilft ihm ein wenig, gibt ihm einen Umriss vor und lässt ihn dann freie Hand. Etwas völlig Neues entsteht dann, eigene Bildkompositionen. Aus Eckerles ‚Adam' wird eine kaffeebraune Südseeschönheit mit großen Augen, aus Eckerles ‚Kopf mit Bein' zwei Gesichter, die mit erstaunten Augen in die Welt blicken.

Schließlich hat Eberhard Eckerle eine Idee: Er lässt Helmut eine ovale Holzscheibe unter das Zeichenpapier legen und mit einem Kohlestift darüber fahren. Die Maserung des Holzes wird auf dem weißen Papier sichtbar. Ein Oval erscheint. „Das ist der Kopf", strahlt Helmut. „Du, das ist ja toll, das hebe ich auf", freut er sich. Nun hat er eine ‚Schablone' für künftige Bilder gefunden und ist nicht mehr auf Hilfe angewiesen. Gleich zaubert er noch ein zweites Gesicht aufs Papier und zwei Körper, die sich aufeinander zubewegen. Der einsame Kopf bekommt ein Gegenüber.

„Helmut nimmt bereitwillig Anregungen auf", erklärt Eberhard Eckerle. Zuerst sei er mit ihm durch die ganze Ausstellung gegangen und habe mit Helmut über die verschiedenen Kunstwerke gesprochen, habe versucht herauszufinden, was er schön findet und was ihm nicht gefällt. „Aber ich habe da keine Bezüge entdecken können. Für mich hat er willkürlich ausgewählt oder verworfen", berichtet der Bildhauer.

Inzwischen schaut Kunstpfarrer Paul Gräb im Atelier vorbei. „Das ist eine reiche Beute", freut er sich, als er sieht, wie fleißig die beiden waren: Fünf Bilder sind bereits fertig, das sechste bekommt gerade noch den letzten Schliff. Plötzlich ein ungeheurer Lärm: Die Band ‚Eckstein' hat mit ihrem Konzert angefangen. Der Bass dröhnt, der Drummer legt los. Der Schall bricht sich an den Wänden des Ateliers. Die Schaulustigen, die Helmut bei der Arbeit beobachtet haben, verlassen fluchtartig den Raum. Aber Helmut malt seelenruhig weiter. Ihn stört es nicht nur nicht, ihm gefällt es. „Ich will mir selbst ein Schlagzeug kaufen", verrät er, von dem Erlös seiner Bilder – Helmuts Kunstwerke gehen weg wie warme Semmeln. Er hat während der Ausstellung schon so viele Bilder verkauft, dass manche seiner ‚richtigen' Künstlerkollegen nur vor Neid erblassen können – und es wird wohl gerade für diese Anschaffung reichen.

Auch seine frisch gemalten Bilder haben schon Abnehmer gefunden: Zwei will er den Mitgliedern der Musikband schenken und Eberhard Eckerle bekommt das Bild, in dem unter Helmuts Händen aus dem herb-strengen, übermännlichen Adam eine sanfte, kaffeebraune Südseeschönheit mit großen Augen geworden ist.

Pieter Brueghel, 16. Jh.

Denn ich bin hungrig gewesen
und ihr habt mir zu essen gegeben.

Ich bin durstig gewesen
und ihr habt mir zu trinken gegeben.

Ich bin ein Fremder gewesen
und ihr habt mich aufgenommen.

Ich bin nackt gewesen
und ihr habt mich gekleidet.

Ich bin krank gewesen
und ihr habt mich besucht.

Ich bin im Gefängnis gewesen
und ihr seid zu mir gekommen.

Matthäus 25, 35-36

PAUL UND DAS GELD

Paul ist schlecht. Er starrt die Klinke der braunen Tür des Arbeitszimmers an, als hätte er sie noch nie gesehen. Dabei hat er sie gestern Nacht mit Jörg ganz schnell und leise öffnen können. Schließlich können sie so etwas gut. Kratzspuren sieht man bei hellem Licht deutlich.

„Komm rein, Paul", ruft die Stimme, die er so gut kennt.
Schwer wie Blei fühlt sich die Hand an, die er auf die Klinke legt. Trotzdem drückt er sie nicht herunter.
Paul, denkt er, so heiße ich doch gar nicht. Seit vorgestern nicht mehr. Das ist vorbei.

Aus. Vor vier Monaten war er zum ersten Mal in diesem Zimmer gewesen – und da ging es auch um Diebstähle, allerdings die aus Hamburg. „Ich weiß alles, was du gemacht hast", hatte dieser Heimleiter Wichern gesagt. „Es ist einiges – für einen Dreizehnjährigen. Aber das gilt von nun an nicht mehr. Es ist vergeben. Sprich mit niemanden mehr darüber, was du getan hast. Du bekommst wie die anderen auch einen neuen Namen, Paul. Ein neues Haus – ein neues Herz – steht als Motto über dem Haus, in das du hier einziehen wirst."

Damals fand er das gut. Mit elf anderen Jungs gemeinsam in ein Haus zu ziehen – mit dem Herrn Baumgärtner als Hausleiter, das war auf die Dauer um einiges besser als das vorher: Dauernd suchen nach einem guten Schlafplatz und dieses ständige Ankämpfen – nicht nur gegen die Polizei – er konnte schließlich schnell rennen – sondern auch gegen Edwin und seine Leute. Die wussten irgendwie immer, wann er oder sein Bruder gerade einen gut gefüllten Geldbeutel ergattert hatten oder etwas Gutes zu essen und die waren älter und stärker.

„Paul?"

„Ja!"

„Komm rein! Wofür sollte das Geld sein?"

Pauls Kopf ist leer, – ihm fällt nichts ein – nicht eine einzige Antwort.

Heute Nacht ist er nach einem ewiglangen Fußmarsch umgekehrt und zurückgegangen, über den Keller hineingekommen und hat sich einfach in sein Bett gelegt. Was soll er da auch antworten?

„Dein Bruder Jörg ist aufgegriffen worden. Er war auf dem Weg nach Hause."

Vielleicht war er ja nicht ganz normal. Aber Jörg muss wirklich verrückt geworden sein. Der wollte gestern tatsächlich nach Hause zurück, obwohl sie dort schon einmal ausgerissen sind. Zurück in dieses einzige, stickige Zimmer nach Hamburg, in dem es immer nach abgestandenen Kohl riecht und nach scharfer Seifenlauge. Wo entweder das Husten der Mutter, die manchmal die ganze Nacht für andere die Wäsche wäscht, beim Einschlafen stört oder das Geheule irgendeines der fünf jüngeren Geschwister. Oder die Angst, dass Vater betrunken, wie er ist, mit Mutter Streit anfängt wegen des Geldes, und sie sich wieder von ihm eine ‚fängt'. Musste er selbst morgens nicht immer wieder wach genug sein, um zehn Stunden in der Ziegelfabrik durchzuhalten – für 85 Pfennig am Tag! Immerhin, denn Vater verdient oft nichts.

Vorsichtig fragt er: „Hat Jörg schon etwas gesagt? Ist er hier?"

„Ja", sagt Hausvater Wichern. „Ja, er ist da."

Stille. Und jetzt? Jetzt kommt sicher auch für ihn selbst der Ausschluss aus diesem besonderen Heim mit dem Fischteich und den kleinen Wohnhäusern, der Schreinerei, der Bäckerei, den Äckern und der Buchbinderei. Sicher hat Jörg ihm sogar die Hauptschuld am Plan für den Einbruch zugeschoben. In Paul kriecht plötzlich eine unbändige Wut hoch – auf Jörg und überhaupt auf alles und jedes.

„Wo ist er jetzt?"

„Er ist schon in der Schreinerei beim Aufräumen. Das Geld ist auch da. Ab morgen geht er wieder in die Schule. Er wollte eine neue Chance."

Paul muss sich an die Wand lehnen – so ganz genau kann er den Hausvater nicht mehr erkennen. Vor ihm flimmert alles.

„Was ist denn mit dir los?"

Stille. „Ja", sagt er. „Ich will auch. – Ich will eine neue Chance."

Und dann kommt etwas. Von ganz weit weg. Vom Hausvater Wichern auf der anderen Seite des Zimmers – bis zu Paul. Es ist ein Nicken und noch etwas anderes. Vielleicht sogar Anerkennung.

Dorothea Forster

Verbrechen gegen die Menschlichkeit

Franziska Hübel-Itta

Der folgende Text gibt die wörtliche Zeugenaussage von Adolf Meerwein, evangelischer Pfarrer, wohnhaft in Kork, Amt Kehl, am 24. 9. 1947 wieder. Adolf Meerwein sagte in dem Prozess vor dem badischen Landgericht in Freiburg gegen Dr. Schreck aus. Letzterer war unter anderem wegen Verbrechen gegen die Menschlichkeit angeklagt worden.

Seit 1.1.1940 bin ich in dieser Anstalt als Direktor tätig: Die amtliche Bezeichnung der Korker Anstalt lautet: Korker Anstalten, Heime für Kranke, Gebrechliche und Alte. Bei Kriegsausbruch waren in der Anstalt ungefähr 275 Epileptiker und etwa 30 Insassen des Altersheims untergebracht. Am 22. Mai 1940 wurde die Anstalt durch ein Schreiben des Badischen Ministeriums des Inneren aufgefordert, 75 Kranke zur Verlegung nach einer nicht genannten Anstalt fertig zu machen. Der Abtransport erfolgte am 28. Mai 1940 durch die Gemeinnützige Krankentransport GmbH. Bis dahin hatte ich keinerlei Verdacht, es könnte mit den Patienten etwas Unrechtes geschehen. ... Der Transport kam mir allerdings etwas verdächtig und ungemütlich vor. Ich erinnerte mich daran, dass einige Zeit zuvor ein katholischer, württembergischer Pfarrer, an dessen Namen ich mich aber nicht mehr erinnere, mir erzählt hatte, dass in einer württembergischen Anstalt, ich weiß aber auch nicht mehr, welchen Namen er nannte, die aber in der Nähe eines württembergischen Truppenübungsplatzes liegen sollte, Versuche an Patienten angestellt werden würden. Am 28. Mai morgens kamen 3 große Omnibusse vorgefahren, die Fenster waren getüncht. Mit dem ersten Transport kamen nur Frauen weg. ... Ein Teil der Kranken freute sich auf die Autofahrt.

Etwa zwei bis drei Wochen nach Abgang des Transportes kamen die ersten Todesnachrichten durch die Angehörigen. Auf diesen Todesnachrichten las ich zum ersten

Mal den Namen Grafeneck. ... Die Todesnachrichten häuften sich derart, dass mir nun das Schicksal der verlegten Patienten nicht mehr zweifelhaft war. Etwa vier Wochen nach dem Transport, also etwa Ende Juni 1940 und nachdem ich über die Bestimmung des ersten Transports Klarheit erlangt hatte, fuhr ich zum zweiten Mal zu Dr. Sprauer nach Karlsruhe, um bei diesem Protest zu erheben. Dr. Sprauer hat – allerdings in höflicher Form – meine Rede unterbrochen. Er erklärte mir, wenn ich weitersprechen würde, dann müsste er mich verhaften lassen. Ich erklärte noch, ich wüsste nun, woran ich wäre und es hätte keinen Sinn mehr, dass ich mich weiter mit ihm unterhalte. Die Besprechung bei Dr. Sprauer war damit schon beendet.
Ich ging anschließend sofort zu dem damaligen Landesbischof Dr. Kühlewein. Ich habe dem Landesbischof alle bisherigen Vorgänge, so wie ich sie eben zu Protokoll gegeben habe, vorgetragen. Der Landesbischof hat noch am gleichen Tage schriftlich beim badischen Innenministerium Protest erhoben, ... also gegen die Verlegung ohne Zustimmung der Angehörigen und gegen die Tötung der Patienten.

Ich habe hierauf an die Angehörigen der Privatpfleglinge und an die Angehörigen anderer Insassen geschrieben, sie möchten in einer wichtigen Angelegenheit mich persönlich in Kork aufsuchen. Etwa zwei Drittel der aufgeforderten Angehörigen sind auf meine Aufforderung nach Kork gekommen. ... Ich habe den vorsprechenden Angehörigen jeweils erklärt, es wäre mit einer eventuellen Verlegung von Patienten in eine staatliche Anstalt zu rechnen. Ich hätte keinerlei Einfluss darauf, was mit den Patienten dort geschehe. Ich frug dann die Angehörigen, ob sie schon etwas davon wüssten. Eine weitere Aufklärung der Angehörigen war in keinem Fall mehr notwendig, da sämtliche Bescheid wussten.

Die Angehörigen kamen im September 1940 zu mir, als die Euthanasiemaßnahmen im Volk bekannt waren. Etwa 60 % der Befragten waren damit einverstanden. Andere Angehörige, die mit den Maßnahmen nicht einverstanden waren, haben die betreffenden Pfleglinge abgeholt, soweit dies die häuslichen Verhältnisse zuließen. Andere Angehörige baten mich um sofortige Benachrichtigung, falls ein Transport angekündigt werde, da sie die Pfleglinge noch abholen wollten. Ich erinnere mich noch an eine Mutter, die besonders traurig und trostlos war. Die häuslichen Verhältnisse erlaubten eine Heimholung ihres Kindes nicht, andererseits war sie aber auch mit einer eventuellen Tötung ihres Kindes nicht einverstanden. Ich weiß genau, dass dieses fragliche Kind beim zweiten Transport in der Anstalt abgeholt [wurde] und auch der Euthanasie zum Opfer fiel. Bei dem Kind handelt es sich um eine Gretel Knaus. ...

Am 23.10.1940 wurden die 43 Pfleglinge abgeholt. ... Als der Transportleiter mit einigen Omnibussen vorfuhr, weigerte ich mich, auch die letzten 43 Patienten, die auf der Liste standen, zu den Autos zu bringen. ... Der Transportleiter drohte mir, er werde mich auch gleich mitnehmen, wenn ich weiter Schererein machen würde. Der Transportleiter ging darauf mit der Liste auf die einzelnen Abteilungen und ließ sich die Pfleglinge zeigen und durch seine Leute in die Autos schaffen.

(wörtliche Gerichtsaussage)

Otto Dix, 1921

Eingewickelt

Frau Seifert musste nach einem Beinbruch wochenlang mit einem Gips leben. Weil sie sich in dieser Zeit nur schwer allein versorgen konnte, hatten Achim, Christine und Brigitte der alten Dame geholfen. Es war Achims Idee gewesen – und damit die drei es auch schaffen konnten, hatten sie sich die Arbeit nach einem Plan aufgeteilt. Eines Tages war Achim wieder an der Reihe, bei Frau Seifert nach dem Rechten zu sehen. Aber die alte Dame wies ihm energisch eine Sofaecke zu – den Kaffee hatte sie schon alleine gekocht –, denn sie wollte sich bei Achim bedanken. Nächste Woche sollte der Gips wegkommen und dann würde Frau Seifert bald wieder ganz für sich sorgen können. Aber da war noch etwas:

Achim winkte bescheiden ab. „Das ist doch nicht der Rede wert. Dadurch, dass wir uns die Sache aufgeteilt haben, war es für keinen besonders viel."

„Ja, eben", bestätigte Frau Seifert. Ihre Augen leuchteten und sie redete jetzt sehr schnell: „Deswegen finde ich die rotierende Seniorenhilfe, wie ihr das nennt, auch so gut. Wenn ich an all die Leute denke, die von dieser Idee profitieren könnten, Leute, die viel übler dran sind als ich!" Frau Seiferts Hände fingen an, unruhig mit dem Kaffeegeschirr herumzuspielen, während die Worte weiter aus ihr hervorsprudelten: „Da ist zum Beispiel hier im Haus ein älterer Herr.

Der ist ab und zu derart von Ischias geplagt, dass er nur unter Qualen seinen Hund Gassi führen kann. Und ich kenne eine alte Dame, eine richtige Leseratte – ausgerechnet sie hat grauen Star. Ihre Augen werden immer schlechter, aber sie hat Angst vor der Operation. Ein paar Häuserblocks weiter wohnt eine junge Frau, die seit einem Autounfall an den Rollstuhl gefesselt ist – schrecklich, nicht? Und dann natürlich die Leute vom Altenheim. Du, da wohnt eine uralte Dame, die hat anscheinend keine Verwandten mehr. Sie bekommt nie Besuch ..."

Achim rutschte auf die Sesselkante vor. Nur nicht bequatschen lassen, nahm er sich vor. „Ja, aber", begann er, „sie haben da eine Menge Leute aufgezählt. Wenn wir unser rotierendes System noch mehr ausweiten, kommen wir selbst ins Rotieren."

„Wer redet denn von Ausweiten?" Sie machte große, erstaunte Augen ... „Wenn ihr euren Zeitplan haarscharf so beibehalten würdet – für jeden einmal die Woche ein bis zwei Stunden –, dann müsste das doch wunderbar klappen."

„Ich verstehe nicht ganz ..."

„Ganz einfach: Es braucht ja nicht jede Person jeden Tag besucht zu werden. Wenn zum Beispiel Frau Wiechert, das ist die mit dem Star, alle acht oder vierzehn Tage etwas vorgelesen bekäme, nur eine Stunde, dann hätte sie etwas, worauf sie sich freuen könnte. Oder wenn ..."

„Ja, ja, ich hab' schon kapiert", unterbrach Achim sie. „Man müsste das natürlich genau durchorganisieren."

Frau Seifert schlug die Augen nieder und legte rasch die Hand vor den Mund. Sie wollte Achim nicht merken lassen, dass sie plötzlich lächeln musste.

„Ich weiß nicht", meinte Achim. „Ich möchte mich nicht in etwas hineindrängen lassen, das uns dann womöglich über den Kopf wächst."

„Von Drängen kann nicht die Rede sein." Frau Seiferts Worte stimmten nicht ganz mit ihrer Geste überein. Sie hatte sich weit über den niedrigen Tisch gelehnt und eine Hand auf Achims Arm gelegt. „Ich dachte nur, nachdem du das Hilfssystem bei mir so gut im Griff hast, könntest du es auch auf jemand anders anwenden. Es wäre schade um diese tolle Idee, wenn sie schon nach ein paar Wochen wieder an den Nagel gehängt würde."

„Aber wir wollen sie doch gar nicht an den Nagel hängen", widersprach Achim.

„Das dachte ich auch. Also, wenn ich keine Hilfe mehr brauche, könntet ihr euch anderen Leuten zuwenden."

„Ich werde mir das durch den Kopf gehen lassen", sagte Achim förmlich. „Natürlich muss ich es noch mit meinen Freunden besprechen."

„Natürlich", stimmte Frau Seifert zu. „Aber ich habe den Eindruck, dass deine Freunde sehr auf dich hören."

Das war zuviel. „Sie brauchen mir nicht dauernd Honig ums Maul zu schmieren", entgegnete Achim mit einem schiefen Lächeln. „Mit Süßholzgeraspel kann man bei mir nicht landen."

Frau Seifert lachte auf. „Eins zu null für dich, junger Mann", sagte sie. Sie legte den Kopf schief und fragte: „Bist du mir jetzt böse?"

Achim winkte ab. „Sie sind schon okay. Schließlich haben Sie ja nicht für sich selbst Ihren ganzen Charme ins Zeug gelegt", sagte er grinsend. „Ich werde mir das alles überlegen."

Frau Seifert ließ es sich nicht nehmen Achim zur Tür zu begleiten. Während er langsam die Treppen hinunterging, dachte er: Die alte Dame hat mich ganz schön eingewickelt. Er ist logisch, dieser Vorschlag. Aber ich brauche mir trotzdem kaum weiter den Kopf zu zerbrechen. Von der Idee wird keiner begeistert sein. Allerdings, wenn man es richtig anpacken würde. ...

Achim nahm auf dem letzten Treppenabschnitt zwei Stufen auf einmal, während er überlegte, wie man Frau Seiferts Vorschlag richtig anpacken konnte.

Sigrid Schwörer

Weisser Taft

Eine junge, hübsche Dame betrat das Geschäft. Eine erfahrene Verkäuferin bot sich sofort an. „Sie wünschen, bitte?" „Ich suche Stoff für ein Seidenkleid, das bei jedem Schritt rauscht!" „Da nehmen Sie am besten Taft. Wir haben ihn in sehr schönen leuchtenden Farben." „Die Farbe spielt keine Rolle. Es kommt nur darauf an, dass das Kleid zu hören ist!" Zwei junge Lehrlinge im Hintergrund stießen einander an. Der eine flüsterte: „Sie sollte sich noch ein paar Glöckchen annähen lassen. Das klingelt so hübsch."

„Hier haben wir apartes Lila", war die Verkäuferin wieder zu hören, „und weiß ist natürlich immer schön."

Die junge Dame entschied sich für weiß. Sie ließ den Stoff durch die Finger gleiten. „Hört man es?", fragte sie wieder. „Ja", versicherte die Verkäuferin, „man hört es ganz deutlich!" Sie kaufte sieben Meter, bezahlte und verließ das Geschäft. „Laufen Sie der Dame nach", sagte die Verkäuferin zu dem einen Lehrling, „sie hat ihre Handschuhe liegen gelassen." An der nächsten Kreuzung erreichte er die Dame. „Bitte, Ihre Handschuhe!" „Das ist lieb von Ihnen." „Verzeihen Sie bitte meine Frage: Warum kam es Ihnen eben beim Kauf so darauf an, dass der Stoff unbedingt rauscht?" Sie antwortete: „Er ist für mein Brautkleid. Der Mann, den ich heirate, ist blind. Wenn er schon das Kleid nicht sehen kann, soll er es hören und wissen, wann ich in seiner Nähe bin!"

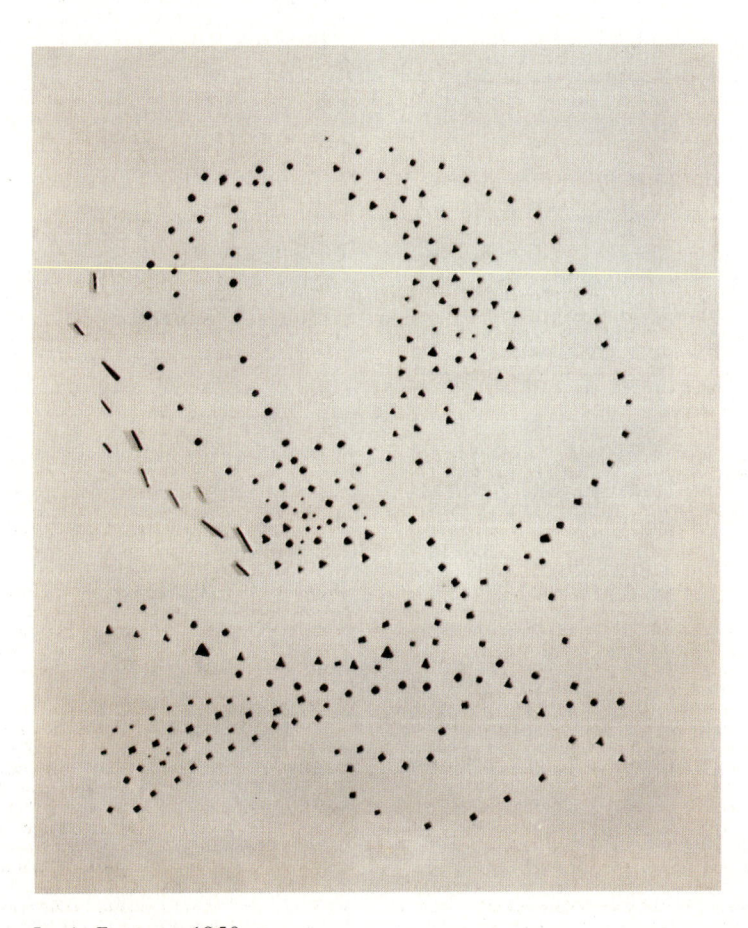

Lucio Fontana, 1950

Quellennachweise
Abkürzungen: ob. = oben; un. = unten, re. = rechts; li. = links; M. = Mitte; gek. = gekürzt

Abbildungen
Titel u. Rücktitel: Antonio Tapies Puig: Spuren auf weißem Grund © Fondation Antonio Tapies Barcelona / VG Bild-Kunst, Bonn 1998. **S. 5:** Anton Stankowski: Wohin, 1984, © Anton Stankowski, Stuttgart. **S. 6:** Kyuchul Ahn: Die Meditionsfahne/Ihr sollt nicht Schätze sammeln ... © Brot für die Welt, Stuttgart. **S. 9:** Ugo Rondinone: „heyday", 1995, Polyester, Stoff, Haare, ca. 125 x 80 x 90 cm, © Galerie Walcheturm, Zürich. **S. 11:** Duane Hanson: Homeless Person, 1991 © Duane Hanson, Davie-Florida. **S. 13 u.:** Duane Hanson: Bowery Derelicts 1969/70 © Duane Hanson, Davie-Florida. **S. 13 o.:** Ernst Erró: Foodscape, 1964, © Moderna Museet Stockholm. **S. 14:** Mixes: Die Opfergabe (Bei der Ernte) © Fideicomiso para la salud de los ninos indígenas de México. **S. 15:** Rigoberta Menchú, Friedensnobelpreisträgerin aus Guatemala. © dpa. **S. 16:** Fernando Botero: Die Präsidentenfamilie 1967, © Fernando Botero, Paris. **S. 18:** Adolfo Perez Esquivel: El Christo del Poncho © Bilderdienst, Dia und schwarz-weiss Archiv der KEM, Basel. **S. 20:** Frauenkranz aus El Salvador, © ¡Vamos! Zur Förderung der Partnerschaft zwischen Christen in Lateinamerika und Europa. **S. 22:** Keith Haring: Ohne Titel, 1982 © The Estate of Keith Haring. **S. 25 o.:** Edvard Munch: Zuneigung (Anziehung, 1896); Lithographie: Munch Museum, Oslo, Foto: Svein Anderson & Sidsel de Jong © The Munch Museum/The Munch Ellingsen Group/VG Bild-Kunst, Bonn 1997. **S. 25 u.:** Edvard Munch: Loslösung 1896, Öl auf Leinwand; AKG, Berlin © The Munch Museum/The Munch Ellingsen Group/VG Bild-Kunst, Bonn 1997. **S. 27:** Pablo Picasso: Junge und Mädchen, 1954 © Succession Picasso/VG Bild-Kunst, Bonn 1997. **S. 28:** Roy Lichtenstein: „I Love You" © VG Bild-Kunst, Bonn 1997. **S. 30:** Paul Cézanne, Der Junge mit der roten Weste, 1888–1890. **S. 32:** Odilon Redon: Das Kirchenfenster, 1908, aus: Redon, Benedikt Taschenverlag Köln, S. 6. **S. 34:** René Magritte: Der Schlüssel der Felder, 1936, © VG Bild-Kunst, Bonn 1997. **S. 37:** Jean Michel-Basquiat: Tabac 1984, © VG Bild-Kunst, Bonn 1997. **S. 39:** Jenny Holzer: Aus der Überlebensserie, aus: Klaus Honnef, Kunst der Gegenwart, Benedikt Taschen Verlag, Köln 1987, S.183. **S. 40:** Bruce Nauman: Double Slap in the Face, 1985 © VG Bild-Kunst, Bonn 1997. **S. 42:** Jeff Wall: A Fight on the Sidewalk, 1994. Transparency in light box. Image 189 x 304 cm. Staatsgalerie moderner Kunst, München. Collection Bayerische Staatsgemäldesammlungen, München. © Jeff Wall, Vancouver. **S. 44:** Emil Nolde: Streitgespräch (aus der Reihe der „Ungemalten Bilder" 1938/45), Aquarell auf Japanpapier 23,3 x 18 cm © Nolde-Stiftung Seebüll. **S. 47:** Miniatur aus dem 15. Jh. © unbekannt. **S. 49:** Edoh Lucienne Loko (EL) Ohne Titel, 1989. © VG Bild-Kunst, Bonn 1997. **S. 51:** Christian Rohlfs: Austreibung aus dem Paradies 1933, © VG Bild-Kunst, Bonn 1997. **S. 53:** Wolf Vostell: Jesus fotografiert das Unrecht der Menschen, © VG Bild-Kunst, Bonn 1997. **S. 55:** Paul Klee: Labiler Wegweiser, 1937, 45 (L 5) Aquarell auf Papier; 43,8 x 19,8 cm, Privatbesitz Schweiz, © VG Bild-Kunst, Bonn 1997. **S. 57:** Odilon Redon: Die Geburt des Gedankens, © Graphische Sammlung, Staatsgalerie Stuttgart. **S. 60:** Heinrich Nicolaus: Die wahre Natur des Spiels, © Heinrich Nicolaus/Galerie Ernst Hilger. **S. 62:** Rita Lundquist: „kulvert" 1987, oil on panel 21 x 13,6 cm, © Rita Lundqvist, Stockholm. **S. 64:** Gaston Chaissac, Gesicht vor getüpfeltem Grund, 1945/46, Öl auf Papier, Privatsammlung, © VG Bild-Kunst, Bonn 1998. **S. 66:** Christian Ludwig Attersee: Die erweiterte Woge 1985, Sammlung Würth, Künzelsau, © VG Bild-Kunst, Bonn 1997. **S. 67 :** Mimmo Paladino, Poeta Ebro, Sammlung Würth, Künzelsau. **S. 68:** Egon Schiele: Der Prophet, 1911, © Staatsgalerie Stuttgart. **S. 71:** „Prophet Elijah taken up to Heaven" © Cliché Bibiliothèque nationale de France, Paris. **S. 72:** Michail Wrubel: Der Prophet, 1905 aus: Michail Wrubel, Der russische Symbolist, DuMont 1997, S. 231. © Staatliches Russisches Museum, St. Petersburg. **S. 74:** Granary of the Tomb of Gemni, © NY Carlsberg Glyptothek, Copenhagen. **S. 75:** Nimrud (Tigris): Ivory Treasures From Biblical Times/Elfenbeinrelief – Löwin tötet jungen Mann. © unbekannt. **S. 77:** Karl Hofer: Der Rufer, 1935, © Nachlaß Karl Hofer, Köln. **S. 79:** Sigmar Polke: Die Dinge sehen wie sie sind, 1992. © Sigmar Polke. **S. 80:** Ferdinand Hodler, Die Poesie, 1897. **S. 82:** Fra Angelico: Noli me tangere, 1440/41. © Scala, Florenz. **S. 84:** Albanipsalter, zwischen 1123 und 1135 © Basilika St. Godehard Hildesheim, Katalognummer der Dombibliothek Hildesheim: HS St. God.1. **S. 87:** Renato Guttuso: Nach Picassos Kreuzigung, Grünewald und der Pietá d'Avignon, 1973, © VG Bild-Kunst, Bonn 1997. **S. 89:** Orantus zwischen Petrus und Paulus Mitte 4. Jh. n. Chr. © BPK, Berlin. **S. 90:** Fra Angelico: Stephanus Gang zur Richtstätte © SCALA, Florenz 1981. **S. 92:** Lovis Corinth: Der Apostel Paulus 1911. © Kunsthalle Mannheim. **S. 93:** Dieter Hacker: Beckmann in New York, 1983 © Dieter Hacker, Berlin. **S. 94:** Roman Sarcophagus © NY Carlsberg Glyptothek, Copenhagen. **S. 96:** Motiv 4 „Das Mahl" aus: Misereor Hungertuch „Hoffnung den Ausgegrenzten" von Sieger Köder © Misereor Medienproduktion und Vertriebsgesellschaft mbH, Aachen 1996. **S. 97:** Verurteilung und Enthauptung des hl. Paulus, © Diözesesanmuseum Paderborn. **S. 99:** Freibrief Brennpunkte, © BPK, Berlin. **S. 100:** Piero della Francesca: Der Traum Konstantins 1452–1466. © Scala, Florenz. **S. 102:** Norbert Prangenberg: Ohne Titel, 1984/85, 34 x 48 cm © Norbert Prangenberg, Köln. **S. 105:** Giotto di Bondone: Die Schenkung des Mantels © SCALA, Florenz 1981. **S. 107:** Domenico Ghirlandaio: Verzicht auf Hab und Gut © SCALA, Florenz 1981. **S. 109:** Holländisches Flugblatt 17. Jh.: (Die Religion weint) „La Religin qui pleure" © Giorgio Tourn, Geschichte der Waldenser Kirche, Erlangen 1980, Verlag der ev.-luth. Mission. **S. 112:** Christus der Weinstock, © Ikonenmuseum Recklinghausen Dia Nr. 831. **S. 115:** Paul Thumann: Luther in Worms, Wartburgaufenthalt, © Ulrich Kneise, Eisenach. **S. 117:** Hierony-mus Bosch: Hölle, © AKG, Berlin. **S. 119:** Hieronymus Bosch: Aufstieg in das himmlische Reich, © Artothek, Peissenberg. **S. 120:** Lucas Cranach: Reformationsalter der Stadtpfarrkirche St. Marien in Wittenberg. Foto: AKG Berlin. **S. 123:** Joseph Beuys: Kreuzigung, 1962/65, © VG Bild-Kunst, Bonn 1997. **S. 125:** Barnett Newman: Canto II. 9/63, © VG Bild-Kunst, Bonn 1997. **S. 126:** Dieter Franck: Zeichen BETH, 1969. © Thauros Verlag GmbH, Weiler im Allgäu. **S. 129:** Marc Chagall: Das Kreuz Jesu/Jesus als Jude © VG Bild-Kunst, Bonn 1997. **S. 131:** Foto: Judentum: Bar Mizwa aus: Das Judentum, Texte und Folien. Hg. Rel.-päd.-Seminar der Diözese Regensburg, Dr. Then, Regensburg 1989. **S. 133:** Foto: Judentum: Synagoge Ansbach aus: Das Judentum, Text und Folien. Hg. Rel.-päd.-Seminar der Diözese Regensburg, Dr. Then, Regensburg 1989. **S. 137:** Ansicht von Jerusalem und Umgebung © Bibliothéque Nationale de France – Depart de Manusecrits, Paris. **S. 138:** Khatibi/Sijel massi: Islamische Kalligraphie Sure 19, © Mohammed Sijelmassi, Neuilly-Marche. **S. 141:** Türkische Miniatur: Berufung Mohammeds, © Topkapi Palace Museum, Istanbul. **S. 143:** Der heilige Bezirk in Mekka, © unbekannt. **S. 147:** Mosaik aus dem Alcazar in Sevilla. © Archivo Fotográfico Oronoz, Madrid. **S. 151:** Kuppel über dem Mihrab in der großen Moschee von Cordoba. © Archivo Fotográfico Oronoz, Madrid. **S. 153:** Persische Miniatur um 1560 © Reproduziert mit freundlicher Erlaubnis der Trustees of the Chester Beatty Library, Dublin. **S. 155:** Wenzel Hablik: Sternenhimmel, Versuch, 1909, © Wenzel Hablik Museum Itzehoe. **S. 157:** Cyprien Tokoudagba: Awoguimonlé, 1994, Arcrylic on Canvas 183 x 210 cm, © C.A.A.C. The Pigozzi Collection, Genf. **S. 159:** Bildreportage Voodoo Heilung, aus Stern 19/1975, S. 36ff. **S. 161:** Odilon Redon: Christus und die Samariterin, um 1885, aus: Die Staatsgalerie Stuttgart, Hatje Verlag S. 281. **S. 164:** Paul Klee: Eros/Die Scheidung Abends 1922, 79, Aquarell auf Papier; 33,5 x 23,2 cm; Privatbesitz Schweiz, © VG Bild-Kunst, Bonn 1997. **S. 166:** Artur Lutz de Bré: Ohne Titel, © Staatsgalerie Stuttgart. **S. 167:** Arnold Schönberg: Hände, 1910.© VG Bild-Kunst, Bonn 1997. **S. 170:** Michail Wrubel: Vision des Hesekiel, 1906, aus: Okkultismus und Avantgarde, edition tertium, 2. Auflage 1996. © Staatliches Russisches Museum St. Petersburg. **S. 172:** Franz von Defregger: Das Tischgebet, 1875, aus: Alles kommt aus deinen Händen – Tischgebete, hrsg. Christine Gerloff, © Ernst Kaufmann Verlag, Lahr 1994. **S. 174:** Otto Dix: Jesus in Gethsemane, 1946 © VG Bild-Kunst, Bonn 1997. **S. 179:** Andy Goldsworthy: Eschenlaub um ein Loch geordnet, 1987, © Andy Goldsworthy from Andy Goldsworthy published by „Zweitausendeins". **S. 180:** Frida Kahlo: Baum der Hoffnung bleibe stark, 1946 aus: Frida Kahlo Posterbook, Benedikt Taschenverlag, Köln. **S. 182:** Helmut Hermann: Christus (für Ernst Argast), 1988, © Kunst + Diakonie e.V. zur Förderung des Hauses der Diakonie Wehr-Öflingen. **S. 184:** Pieter Brueghel: Acts of Mercy, 16. Jh. © Museum Nacional de Arte Antiga, Lissabon. **S. 186:** Franziska Hübel-Itta: Mutter-Herz, 1992, © Kunst + Diakonie e.V. zur Förderung des Hauses der Diakonie Wehr-Öflingen. **S. 188:** Otto Dix: Die Eltern des Künstlers, © VG Bild-Kunst, Bonn 1997. **S. 190:** Lucio Fontana: Retrospektive 1950, Concetto spaziale, Öl auf Leinwand 85 x 70 cm. © Schirn Kunsthalle Frankfurt 1996/Museum moderner Kunst Stiftung Ludwig, Wien.

Texte:
S. 7: Der Weg nach oben von Bill Gates, aus: Der Weg nach vorn: Die Zukunft der Informationsgesellschaft, © Hoffmann und Campe Verlag, Hamburg, 1995. **S. 8/9:** Auf der Straße zu Hause von Rüdiger Heins, aus: Zu Hause auf der Straße; Verlorene Kinder in Deutschland, S. 69 ff., © Lamuv Verlag, Göttingen, 1996. **S. 10:** Was Menschen zum Leben brauchen von Lothar Zenetti, aus: Die wunderbare Zeitvermehrung/Variationen zum Evangelium, © Pfeiffer J. Verlag, München, S. 151f. **S. 12:** Franziskaner-Suppenküche von Publik-Forum, aus: Franziskaner-Suppenküche, S. 40ff.,© Publik-Forum, Oberursel (Ffm), 1995. **S. 14:** Rigoberta Menchú erzählt aus ihrem Leben, nach Elisabeth Burgos, aus: Rigoberta Menchú, Leben in Guatemala, © Lamuv Verlag, Göttingen, 1993. **S. 14:** Aufwachsen auf dem Lande nach Elisabeth Burgos, aus: Rigoberta Menchú, Leben in Guatemala, © Lamuv Verlag, Göttingen, 1993. **S. 16/17:** Ein besseres Leben in der großen Stadt, nach Elisabeth Burgos, aus: Rigoberta Menchú, Leben in Guatemala, © Lamuv Verlag, Göttingen, 1993. **S. 18/19:** Der gefährliche Kampf für Menschenrechte, nach Elisabeth Burgos, aus: Rigoberta Menchú, Leben in Guatemala, © Lamuv Verlag, Göttingen, 1993. **S. 21:** Glaube macht stark und erfinderisch, nach Elisabeth Burgos, aus: Rigoberta Menchú, Leben in Guatemala, © Lamuv Verlag, Göttingen, 1993. **S. 23:** Gegen dieses blöde „Jungen-gegen-Mädchen" von Usch Barthelemeß-Weller, aus: Menschengeschichten, herausgegeben von Hans Joachim Gelberg, © Beltz und Gelberg Verlag, Weinheim, 1975. **S. 24:** Lange Schatten von M. L. Kaschnitz, aus: M. L. Kaschnitz, Lange Schatten, © dtv, München, 1996. **S 25:** Paul & Sabine von Dieter Schnack, Rainer Neutzling, aus: Prinzenrolle (über die männliche Sexualität), © Rowohlt Verlag, Reinbek, 1996. **S. 26:** Fast ein Liebeslied von Reinhard Mey, aus: Reinhard Mey, Alle Lieder, © FMT Nobile Musikverlag GmbH, Hamburg. **S. 28:** Leserbrief aus einer Jugendzeitschrift: Antje, 14, Hamburg, © Hans Getheny, Materialien Religion, Stuttgart, 1985. **S. 29:** Fünfzehn von Reiner Kunze, aus: Die wunderbaren Jahre, © Fischer S. Verlag, Frankfurt, 1968. **S. 31:** Über sieben Brücken mußt Du gehn: Karat, Text: Helmut Richter, © Harth Musikverlag/Musik-Edition Discoton, Leipzig/München, 1980. **S. 32:** Du kannst fliegen von Reinhard Mey, aus: Lilienthaltraum, Reinhard Mey, Alle Lieder, © Maikäfer Musik-Verlagsgesellschaft, Berlin, 1985. **S. 33:** Die Realität von Peter Weiß, aus: Abschied von den Eltern, © Suhrkamp Verlag, Frankfurt. **S. 35:** Jacqueline, aus: Erfahrungen eines magersüchtigen Mädchens. **S. 35/36:** Martin, aus: Was ist denn schon dabei? (Schüler schreiben eine Geschichte), ©

Beltz Verlag, Weinheim/Basel 1994. **S. 38:** DRUGS: Thomas hrsg. von Katharina Bleibohm, aus: Kindheit am Beispiel Frankfurt, eine Dokumentation von Kindern für Kindern und Erwachsene, S. 49–52 (Auszug), © Institut für Kommunikation, 1979, **S 38:** Clarissa von Barbara Phieler und Irene Berkenbusch. Originalbeitrag © Calwer Verlag/Ernst Klett Verlag, Stuttgart 1998. **S. 41:** In die Luft von Elke Langstein-Jäger. Originalbeitrag © Calwer Verlag/Ernst Klett Verlag, Stuttgart 1998. **S. 42:** Trauer um Achmed: Er wollte helfen von Sabine Fuchs, aus: Trauer um Achmed: Er wollte helfen, © Frankfurter Rundschau, 25. 10. 1996. **S. 43:** Die Kummerlöser von Susanne Broos, aus Konflikte lösen. Päd. Extra, März 1995. **S. 45:** Abel steh auf von Hilde Domin, aus: Abel, Gedichte, Prosa, Theorie. © Reclam Philipp jun. Verlag, Ditzingen. **S. 46:** Das biegsame Rohr von Wolfgang Morgenroter, aus: Das biegsame Rohr aus Mahabharata, Berlin, 1987. **S. 48:** Blascho von James Krüss, aus: Die Geschichte eines Knaben in Mein Urgroßvater, die Helden und ich, © Alfred Holz Verlag/Der Kinderbuchverlag, Berlin, 1970. **S. 50:** Das Tier mit dem Gewissen von Konrad Lorenz, aus: So kam der Mensch auf den Hund, S. 213–215, © Borotha-Shoeler Verlag, Wien, 1952. **S. 52/54:** Im Supermarkt von Kirsten Boie, aus: Das Ausgleichskind © Oetinger-Friedrich Verlag, Hamburg, 1990. **S. 56/58:** Das wiedergefundene Licht von Jaques Lusseyran, S. 14–23, Klett-Cotta Verlag, Stuttgart, 1966. **S. 59:** Mausche ist ein großer Erzieher für mich geworden von Albert Schweitzer, hrsg. M. Bosch, aus: Kindheitsspuren, Literarische Zeugnisse aus dem Südwesten, S. 115–116, © G. Braun Verlag, Karlsruhe, 1991. **S. 61:** Wir sind eben keine Babys mehr von Sheila Och, aus: Karel Jarda und das wahre Leben, © Arena-Verlag, Würzburg, 1996. **S. 63:** Cilla und Tina von Peter Pohl/Kinna Gieth, aus: Du fehlst mir, du fehlst mir, © Hanser Verlag, München/Wien, 1994. **S. 65:** Ich kann das doch gar nicht von Ingrid Ziegelhofer. Originalbeitrag © Calwer Verlag/Ernst Klett Verlag, Stuttgart 1998. **S. 65:** Wo könnte ich mich verstecken? von Hans Heller/Hans Biebenbach, nach Jona 1, aus: Die Nacht leuchtet wie der Tag, Bibel für junge Leute, S. 161 ff., © Diesterweg-Verlag, Frankfurt, 1992. **S. 66:** Jonas Gebet im Bauch des Fisches von Hans Heller/Hans Biebenbach, nach Jona 2, 1–7 und 11, Die Nacht leuchtet wie der Tag, Bibel für junge Leute, S. 161 ff., © Diesterweg-Verlag, Frankfurt, 1992. **S. 67:** Jonas Unmut und Gottes Antwort von Hans Heller/Hans Biebenbach, nach Jona 4, Die Nacht leuchtet wie der Tag, Bibel für junge Leute, S. 161 ff., © Diesterweg-Verlag, Frankfurt, 1992. **S. 69:** Nabots Weinberg von Werner Laubi, aus: Laubi/Fidebuhr, Kinderbibel, S. 146 f. © Ernst Kaufmann Verlag, Lahr 1993. **S. 70/71:** Elija von Gerhard Büttner. Originalbeitrag © Calwer Verlag/Ernst Klett Verlag, Stuttgart 1998. **S. 72:** Er im Sturme nicht – eine Stimme verschwebenden Schweigens von Marc Chagall/Lothar Klünner, aus: Marc Chagall, Aus meinem Leben. © Hatje Verlag, Stuttgart 1959. **S. 73/74:** Vom reichen und vom armen Bauern von Werner Laubi, aus: Geschichten zur Bibel Elia, Amos, Jesaja, Lahr u. a., © Ernst Kaufmann Verlag, Lahr/Benzinger Verlag, Lahr/Düsseldorf, 1983. **S. 76:** Quantitativer Irrtum von Wilhelm Willms, aus: Wilhelm Willms, Der geerdete Himmel, S. 114, © Butzon & Bercker Verlag, Kevelaer. **S. 78:** Der Marsch, ein Film von David Wheatley, 1990. **S. 78:** Rede von Isa El Mahdi, dem Anführer der Menschenmenge, vor der Überfahrt nach Europa Andreas Reinert, Originalbeitrag © Calwer Verlag/Ernst Klett Verlag, Stuttgart 1998. **S. 79:** Wer hört schon auf einen Propheten? von Harvey Cox, aus: Die komische Figur des Christen, S. 194, © Kreuz Verlag, Stuttgart, 1969. **S. 81/83:** Die Auferstehung des Herrn von Waltraut Schmitz-Bunse, aus: Biblische Geschichten Kindern erzählt, © Fredebeul & Koenen Verlag, Essen. **S. 85:** Mary's Song von Tim Rice, aus: Andreas Lloyd Webber, Jesus Christ Superstar, © MCA Music GmbH, Hamburg, 1970. **S. 86:** Zwischen Trauer und Hoffnung von Dietrich Bonhoeffer, hg. Alice von Bismarck, aus: Brautbriefe Zelle 92, © Wissenschaftliche Buchgesellschaft, Darmstadt. **S. 90:** STEPHANUS von Gerhard Büttner, Originalbeitrag © Calwer Verlag/Ernst Klett Verlag, Stuttgart 1998. **S. 91:** PAULUS von Gerhard Büttner, Originalbeitrag © Calwer Verlag/Ernst Klett Verlag, Stuttgart 1998. **S. 94:** Paulus und die Gemeinde in Korinth, aus: Apg 18. **S. 95:** Ein Gottesdienst in der Gemeinde von Korinth, die Paulus gegründet hat, von Walter Haltenwieger, aus: Konflikt in Korinth, Memoiren eines alten Mannes, S. 11–13, © Kaiser Verlag, München, 1979. **S. 97:** Von Jerusalem nach Rom – von der Gefangenschaft zum Märtyrertod von Gerhard Büttner, Originalbeitrag © Calwer Ver-lag/Ernst Klett Verlag, Stuttgart 1998. **S. 98/99:** Das Martyrium des Bischof Polykarp, aus: Die Martyrerakten des zweiten Jahrhunderts, übersetzt von Hugo Rahner, © Herder Verlag, Freiburg, 1954. **S. 101:** Kaiser Konstantin – Das Ende der Christenverfolgung von Laktanz: über die Todesarten der Verfolger, von Adolf Martin Ritters, Alte Kirche, Kirchen- und Theologiegeschichte zu Quellen Bd. 1, S. 121 und 124, © Neukirchener Verlag, Vluyn, 1994. **S. 103:** Spurensuche eines Reporters von Luise Rinser, aus: Bruder Feuer, S. 15/20, © Thienemann K. Verlag, Stuttgart, 1975/Fischer Verlag, Frankfurt/M., 1996. **S. 104–S. 106:** aus: Ausbruch aus der Gesellschaft. Franz von Assisi, von Paul Bühler, © Theologischer Verlag Zürich, S. 3–5, o. J. **S. 107:** Der Reporter trifft Paola von Luise Rinser, aus: Bruder Feuer, S. 33–36. © Thienemanns Verlag, Stuttgart 1975. **S. 108:** Petrus Waldes. **S. 110:** Ketzer und Heilige von Herbert Gutschera/Jörg Thierfelder, aus: Armutsbewegungen im Mittelalter KG Ökum. I, S. 134, © Matthias-Grünewald-Verlag, Mainz/Quell Verlag Stuttgart, 1995. **S. 110/111:** Der große Schatz von Paolo Ricca, aus: Jahrbuch 88 des Gustav-Adolf-Werkes, © Gustav-Adolf-Werk Verlag, Leipzig. **S. 113/114:** Die Gemeinde von Sant'Egidio von J. Hoeren und E. Kusch aus: S2 Kultur-Sendung in der Reihe „Glaubensfragen" (Manuskript und Mitschnitt), © SDR, Stuttgart, 13. 10. 1996. **S. 116:** Angst vor der Hölle von Umberto Eco, aus: Der Name der Rose, © Carl Hanser Verlag/C.W. Niemeyer Verlag, S. 60. **S. 118:** Eine Entdeckung von Martin Luther, aus: der Vorrede zu I der lateinischen Werke (1545), WA 54, 185, 14 ff., zit. nach: H. Fausel: D. Martin Luther, sein Leben und Werk. © Hänssler Verlag, Stuttgart, 1996. **S. 120:** ICH BIN FREI, zit. nach: Martin Luther, Ausgewählte Werke, © Kaiser-Verlag, München 1962 ff. **S. 121:** Frei und Erzogenwerden – Eltern und Kinder, zit. nach: Martin Luther, Ausgewählte Werke, © Kaiser-Verlag, München 1962 ff. **S. 121:** ANGST VOR DER FREIHEIT, zit. nach: Martin Luther: Ausgewählte Werke, Bd. 4, (1525), S. 148–152, Wider die räuberischen und mörderischen Rotten der Ravern, Kaiser-Verlag, München, 1964. **S. 122:** ... Aus den 12 Artikeln der Bauern (1525), zit. nach: Deutsche Geschichte, hrsg. von H. Pleticha, Bd. 6: Reformation und Gegenreformation 1517–1618, S. 124 f.,© Bertelsmann Lexikon Verlag, Gütersloh, 1993. **S. 124:** Freiheit heute – Menschen über Luther von Antje Vollmer, Horst Hirschler, Johannes Rau, Walter Jens aus: Nachschrift einer Fernsehsendung „Luther und die Folgen", © ZDF, 31. 10. 96. **S. 127:** Das Tier in der Nacht von Uri Orlev, aus: Das Tier in der Nacht, S. 7 ff., © Elefanten Press, Berlin, 1993. **S. 128/129:** Jesus, ein jüdischer Rabbi von Gerd Theissen, aus: Der Schatten des Galiläers, S. 142–144, © Gütersloher Verlagshaus Gerd Mohn, Gütersloh, 1993. **S. 130/131:** Kurt begleitet Ruth in die Synagoge von Kurt Witzenbacher, aus: Kaddisch für Ruth – Erinnerungen an eine jüdische Freundin, S. 26 ff., © Quell Verlag, Stuttgart, 1996. **S. 132/133:** Ruth begleitet Kurt in die Kirche von Kurt Witzenbacher, aus: Kaddisch für Ruth-Erinnerungen an eine jüdische Freundin, S. 52 ff., © Quell Verlag, Stuttgart, 1996. **S. 134:** Chanukka im Advent von Kurt Witzenbacher, aus: Kaddisch für Ruth-Erinnerungen an eine jüdische Freundin, S. 55, © Quell Verlag, Stuttgart, 1996. **S. 136/137:** Mein Jerusalem/Dein EL KUDS von Roswi-tha von Benda, aus: Dieses Land pack ich nicht: Junge Deutsche in Israel und der Westbank, S. 36–41, © Beck'sche VB, München, 1995. **S. 139- 154:** Originalbeiträge von Elke Kuhn, © Ernst Klett Verlag, Stuttgart.**S. 156/157:** VOODO – Auf dem Weg zum großen Eingeweihten von André Magnin, aus: Cyprien Tokoudagba (Gesprächsnotizen von André Magnin), S. 8 f., © Abomey Verlag, Benin, April, 1995. **S. 158:** Der Medizinmann zieht Frauenkleider an um besser tanzen zu können, Das Mädchen legt sich neben den Stier und umarmt seinen Körper von Hubert Fichte, aus einem Bericht aus dem Senegal aus: Stern Nr. 19/75, S. 36 ff., © Gruner & Jahr Verlagsgesellschaft, Hamburg, 1975. **S. 159:** Voodo von Hubert Fichte, aus einem Bericht aus dem Senegal aus: Stern Nr. 19/75, S. 36 ff., © Gruner & Jahr Verlagsgesellschaft, Hamburg, 1975. **S. 160/162:** Die Seele bringt er uns zurück von Ingo Baldermann, aus: Der Himmel ist offen Jesus aus Nazareth: eine Hoffnung für heute, S. 48–53, © Neukirchener Verlag des Erziehungsvereins, Neukirchen, 1991. **S. 163:** In Gottes Namen wolln wir finden, was er wert ist, von Janssens Peter, aus: Ich liebe das Leben, 1981 © Peter Janssens Musik Verlag, Telgte-Westfalen. **S. 165/166/167:** Das wiedergefundene Licht von Jaques Lusseyran, S. 34–35, © Klett-Cotta Verlag, Stuttgart, 1966. **S. 168:** Zwei parapsychologische Erlebnisse aus: Im Umkreis des Todes von Liliane Frey-Rohn, aus: Franz/Frey-Rohn/Jaffe: Im Umkreis des Todes, Sterbeerfahrungen psychologisch beleuchtet, S. 36–37, © Daimon Verlag, Zürich, 1980.**S. 169/171:** Daniel sieht und versteht, was eine unsichtbare Hand schrieb von Max Bollinger, aus: Biblische Geschichten. S. 258 ff., Otto Maier Verlag, Ravensburg, 1987. **S. 172/173:** Das Tischgebet von Bertold Brohm,© Ernst Klett Verlag, Stuttgart. **S. 175:** Tanjas Gebetsbuch von Gerhard Büttner, © Ernst Klett Verlag, Stuttgart. **S. 176:** Erhört Gott Gebete? von Kenneth L. Woodward, aus: Erhört Gott Gebete?, S. 45–46, übersetzt von Eckhart Marggraf, © Newsweek, 31. 03. 1997. **S. 177:** Wenn dat Bedde sich lohne däät von Wolfgang Niedecken, aus: Wenn et Bedde sich lohne däät – BAP – von drinne noh drusse, LC 7143, © Musikverlag Hans Gerig KG, Bergisch Gladbach, 1982. **S. 178/179:** Meine Freundin Ama von Dorothea Friederici, aus: Vorlesebuch Ökumene, S. 148, © Ernst Kaufmann Verlag/Butzon & Bercker Verlag, Lahr/Kevelaer, 1991. **S. 181:** Einer dieser schlimmen Tage, von Rolf Krenzer, in: Nur weil ich fünf Minuten zu langsam denke, Georg Bitter Verlag, Recklingshausen, 1983, S. 45–47. © Rolf Krenzer. **S. 183:** Der Trick mit der Holzscheibe von Christiane Sautter, © Badische Zeitung, April 1988. **S. 184/185:** Paul und das Geld von Dorothea Forster. Originalbeitrag © Calwer Verlag/Ernst Klett Verlag, Stuttgart 1998. **S. 186/187:** Verbrechen gegen die Menschlichkeit von Dorothea Forster, wortwörtlich am Kork bezogene Gerichtsaussage, Originalbeitrag © Calwer Verlag/Ernst Klett Verlag, Stuttgart 1998. **S. 188/189:** Eingewickelt von Sigrid Schwörer, aus: Alles kein Beinbruch, © Ensslin Verlag, Reutlingen, 1988. **S. 190:** Weißer Taft, in: 255 Kurzgeschichten von Willi Hoffsümmer, © Matthias Grünewald Verlag, Mainz, 1983⁴ S. 74f.

Hinweis:

Nicht in allen Fällen war es uns möglich, den uns bekannten Rechteinhaber der Abbildung(en) und Texte ausfindig zu machen. Berechtigte Ansprüche werden selbstverständlich im Rahmen der üblichen Vereinbarungen abgegolten.